JN117703

自分探しの倫理学

山内志朗

前書き

私は、内向きに小声で哲学を語ることを始めた。なぜそんな風に哲学を始めてしまったのだろう。

高校を卒業して、東京の大学に入る以上、医学部か法学部か経済学部か工学部に入って社会に有意な人材になってほしい、という親の願いを裏切って、田舎を出てきた。文学部、しかも哲学を目指して上京してしまった。親に申し訳ないという気持ちも少しあったが、男だけの四人兄弟の末っ子だった。風来坊として生きてもよい。長男以外は皆家を出て、別の場所で生きていくという生き方だけが唯一の選択肢だった。自由な風として生きる運命にあった。だから少しばかり格好をつけて哲学を選んでみた。田舎では哲学を語ると一目置かれたのである。

だが、東京は思っていたよりもずっと都会だった。東京の大学生は、新入生なのに現代哲学の最先端（当時のことだが）であるフーコー（一九二六～八四）やハイデガー（一八八九～一九七六）を語り、ずっと先の方を走っている。私はと言えば、アリストテレス（前三八四～前三二二）と聖書を勉強しようと、ギリシア語とラテン語を学び始めた。キャンパスの中を歩くと背中の方で田舎者を嘲笑う声がいつも響いていた。小声でしか哲学を語ることはできない、哲学をずっとそんな風にイメージしてきた。

だから私は小声で始めるしかなかった。しかもなぜか私は、近世のスコラ哲学（バロックスコラ）に関心が向いていった。いつもこんな風だ。西洋においてもほとんど無視され、日本でも放り捨てられる領域になぜ心がひきつけられていったのか、私にも分からない。

それもまた、この私にとっての「自分探し」だったのだ。いかに奇妙で変ちくりんであっても、それもまた一つの「自分探し」なのである。快適な部屋探しだったらアパート斡旋業者にお願いできる。だが、「私探し」を手伝ってくれる店は存在しない。絶対繁盛するのに。私探しコンテストも開かれたりしないし、私探しミシュランガイドも存在しない。

いや、「自分探し」とは、独自で唯一のものであるならば、標準的で一般的な「自分探し」などあるわけもない。ここまで歩いてくると、山奥から哲学を学びに東京に出てきて、しかも偏屈に奇妙に哲学に入り、風変わりな哲学を研究し続けている人間の「自分探し」

も、唯一性や単独性という衣装を持ちながら、ありふれた一般性の受肉かもしれない。そう考えると、個体性を否定し、自由も否定し、すべてを永遠性と必然性の相において見ようとしたスピノザ（一六三二〜一六七七）もまた、自分探しの仲間に見えてくる。私はきっと哲学史の中に、仲間や友達を探そうとしているのだろう。いずれにしても、私の「自分探し」の旅、いや迷い道だらけの、しかしいつも導き手に先導されてきた旅を気ままに書いてゆく。

私もまた自分が勝てる場面を求めて、とても小さな、奥まった世界を探し出し、そこでだったら、競争相手も少ないし、強くもないから、一番になれるような世界を探し出したのかもしれない。蛙は小さな小さな井戸を目指す。大きな世界では理不尽と暴力がなければ、支配はできないから。小石の陰や小さな葉の裏や洞窟の中に、自分だけの、プライベートな領域を見出し、そこに自分自身の世界を作り出すことができる。性的な領域はそういった意味合いを持つことが多い。その小さいけれど、自分が勝利できる領域において、破壊の言葉が鳴り響くことがある。

『エヴァンゲリオン』のあのセリフ「気持ち悪い！」。その呪いの言葉を使う人は何を考えて使っているのだろう。世界と存在への呪詛（じゅそ）なのか。存在とは気持ち悪いものとして語られるべきものなのか。心に刺さった刺、いやそうではない、槍は抜けることなく、刺さったまま、激痛を伴いながら、刺し貫いたままで残る。この本は、「気持ち悪い」というアスカの言葉と自分探しとの間の距離を乗り越えて辿り着くために書かれた本なのだ。

もくじ

第二章 自分嫌いとインティマシー

第三章　ハビトゥスとしての〈私〉

第四章　自分探しと個体化ということ

第五章　人生は何のために

第六章　セカイと〈私〉

第一章

〈私〉という探し物

人生という旅の方法

〈私〉というものはいつも探し物だ。家を出てしばらくして何か忘れて出かけてきたことに気づく。いつも〈私〉を置き忘れて出かけてしまう。いつも置き忘れたままなのだ。

ずっと何かを探している。「ずっとなにかを、誰かを探しているような気がする」（新海誠『君の名は。』）。そうだ。いつも探している。「私の心は幼いころから何かを渇望し求めてきましたが、それが何であるのか今でも完全には分かっておりません」（ハインリッヒ・ゾイゼ）。このゾイゼ（一二九五〜一三六六、中世の神秘思想家）の言葉が大好きだ。自分探しは奇妙な探し方だ。それはそうだ。探している本人が自分を探しているのだから。そういえば、「我思う、故に我あり」って誰が言ったんだっけ。こういう言い方をする人は自分探しなんか愚かなことだと言うだろう。

だからここで書いているのは、〈私〉への倫理学、〈私〉のための倫理学だ。学問としての倫理学ではなく、なぜか訳の分からないものとしての倫理学だ。この探し物である〈私〉をどう書いたらいいんだろう。〈ワタシ〉なのか〈私〉なのか、いや、どっちだか分からない。両者は表記の違いだけのはずだが、気になる。しかし、同じものと考えることにする。だからこれから始めようとしているのは「〈私〉探しツーリズム」だ。〈今・ここ〉にいるのに、どこか森の中に忘れてきてしまったような感じがする〈私〉を探しに出かける。いつもこの〈私〉には名前がない。顔もない。

人生は自分自身への旅であると言われてきた。〈私〉への旅と言い換えてもよい。旅行であれば、目的地を定め、その目的地を目指して歩みが進められる。最短コースで、一番短い時間で、または最も安い値段で到達できる方法が探される。目的が決まっていて、日程が決まっていれば、安く早く到達できるスケジュールを探すことができる。旅行案内も、交通機関の使い方も、調べていけば見つかる。

ところが、行き先が決まらない旅においては、最短コースも旅行の費用も決まらない。自分の旅の行き先を探すための旅行案内書は売っていない。『地球の歩き方』という世界中を旅するための案内書はあるが、行き先を探すための特別編は売っていないようだ。

人生を生きるための案内書としては、アニメの声優になるための本、弁護士になるための本というように、特定の職業に辿り着くための本はたくさん出ている。

もちろん、自分のやりたいことは初めから分かっているわけではないから、自分の適性を知るための「適性試験」もある。適性があるからといって自分のやりたい職業であるとは限らない。適性試験に登場する職業の数は限られているから、「十七世紀ドイツのスコラ哲学の研究」への適性があるというようなことは、どんな試験を受けても出てくることはない。

適性試験で分かるのは、自分では気づきにくい、隠れていた自分の資質と出会って、それを出発点にして道を探すことだ。方向性を与えてくれるのでもなくて、入口を教えてくれるぐらいだろう。入口の見当もつかないで、入口の手前で途方に暮れていても仕方がないし、探し方も分からず探す方針も決まらないまま、ただオロオロしているだけでは話は始まらないから、一歩を歩み出すために、何らかのアドバイスがあるというのは意味がある。もちろん、そういった適性試験を信じすぎない方がよいのだが。

適性試験と同じぐらいの程度の資質や適性ぐらいは手相で見ることはできる。しかし、資質や適性がその人の人生を有利に運ぶわけではない。「好きこそものの上手なれ」というように、好きであれば、そこに資質や適性が表れてくる場合も多い。好きであれば必ず成功するわけではないが、人一倍の努力でその道で成功した人は無数に存在している。

〈私〉をどこに探せばよいのか

「自分探し」という言葉がいろいろなところで用いられている。この本そのものがそうだ。しかし、「自分を探す」とは何を探すことなのだろうか。どこに探しに行けばよいかも分からず、何を探してよいかも分からない。「自分探し」とは、眼の前に鏡を出して「あっ、ここに自分がいた！」ということなのだろうか。世界中で自分を探したけれど見つからなくて、鏡を見たらそこにいたというのは、童話『青い鳥』の三番煎じぐらいで面白くはない。「自分探し」に出かけていって、見つかる人はどれくらいいるのだろうか。いやそもそも、探して見つかるものなのだろうか。自分探しに出て行って、「渋谷の公園通りを歩いていたら、自分と会っちゃったよ」と言うのは珍しい人だ。ドッペルゲンガー（自分の分身）に出会ったのか、そうではなくて、唯一者・単独者として自分を有しているのではなく、トンボの無数の目玉の一つ一つに自分を見つけられる人かもしれない。そういった「汎神論的(はんしんろん)自我」を持つことができる人は、よい詩人になれると思う。

自分探しにおいて、正しい答えは、おそらく一つしかない。「自分探しの問いに正解はない」というのが正解なのだ。自分探しに正解があるということは、自分探しにいかなる意味もないということと同義であり、答えは存在せず、答えを見つけようとすることが答えである、したがって答えがない限りにおいて答えは存在すると答えるしかない。

同じようなことは、たぶん神についても当てはまる。神とは、存在することと存在しないことが同義であるような仕方で存在する特別な存在者なのである。神とは、「それ以上に大きいものが考えられないもの」であるとアンセルムス（一〇三三～一一〇九、中世初期の神学者）は記述したが、それと同じような構造が見られる。言葉や論理を挫くところにしか、真実は現れないが、しかしそれは反知性主義に力を与えるような非論理性、非合理性なのではない。

「分かった」と安心してしまう心を不安に苛むような荒々しい存在の絶壁こそ、「自分」という花が咲く場所なのである。私はそう思う。生きている限り、迷いと苦しみは続くが、その絶対的非存在を求めることは死を願うことなのである。

「自分探し」がなぜ面倒な作業になるのか、そういうことを悩む必要は必ずしもない。人生が順調に、思い通りに進んで、夢が明確であって、それを実現する環境もそろっているのであれば、「自分探し」に悩む必要はない。しかし、それを求める人がいれば、それを語ることの意味があると思う。

この本の基本軸となるのは、中世哲学の個体性の原理をめぐる話と、ジル・ドゥルーズ（一九二五〜一九九五）の個体化論の議論だ。個体性とは、広い土地に壁を作って、これが私の領地ですというように、誰にも入り込めない壁を作ることなのだろうか。かつてのアメリカ大統領トランプが、メキシコとの間に誰も侵入できない高い壁を作ろうとしたが、そういう風に心の壁（アニメ『エヴァンゲリオン』には「ATフィールド」と呼ばれるバリアの機能を持つ概念が登場するが、あれも心の壁だ）を作り上げることが個体化であって、そしてそれが自分探しの行きつくところなのか。

一人で部屋の中に閉じこもって誰にも入り込めない世界を創ること、そこに唯一性も独創性も成立している。個体性の話は、一般的なものと普遍的なものが初めにあって、それが限定を受けて個体が成立する、という行き方をする。どこまで行っても、ただ一つということには届かないようにも見えるが、何がそのたった一つ、唯一性を作り上げるのか、それが個体化や個体性という話だ。

哲学は、存在とは何かという抽象的な問題を追いかけてきたけれど、そんな抽象的な概念は、友達だと思っていた人間から投げつけられた裏切りの言葉ほど心に刺さりはしない。

自分とは何か、自分の夢は何か、自分は何をなすべきか。そういう問いが、遠く離れた問い、そしてだから遠い旅に出て探し求めるべき問いに見えるのでなければ（そう感じるときも若い頃は多い。だからこの本が成り立っている）、自分探しと個体性の問題は大事な問題のはずだ。でも、いずれも難解だ。そして学校でも教えてくれないし、大人も教えてくれない。中世哲学の個体化論はそのままでは難しくて、硬くて冷たくて、人間嫌いだ。

それらの話を、「自分探し」と重ねて語ることは、アカデミズムの人は眉を顰（ひそ）めることだと思う。哲学は人生論や幸福論や恋愛論や自分探しを嘲笑う。嘲笑う者は嘲笑うがよい。私は強い心の哲学を語りたいとは思わない。戦って勝つための哲学、ギリシア哲学はそういうものだったような気がする。強い哲学にとって、自分探しなど屑（くず）のような問題だ。名声、地位、財産と国威発揚こそ人生の課題で、自分ということは要らないから。

哲学を求める者は、往々にして迷える羊であることが多い。自信満々で家庭環境も整い、身体堅固たる偉丈夫が哲学に専心することは多くはない。負け犬の学問だと言いたいのではない。哲学は高貴なものを目指す。しかしそれは、人間が小さな弱いものであるということを前提にしていると私は思う。脆弱（ぜいじゃく）さ・ヴァルネラビリティ（vulnerability）こそ、人間の本質なのだ。脆弱たる人間が脆弱さを失わないままなされる「自分探し」の道筋は、脆弱さを意識せず、意識しないがゆえにそもそも備えていない動物や天使の道筋と異なってくるはずなのだ。

ヴァルネラビリティとは傷を受けやすい状態のことだ。「傷つきやすさ、受傷性、被傷性」などと訳される。他者に曝されている状態のことだ。ATフィールドをまとえば、ヴァルネラビリティから脱却することができる。ヴァルネラビリティは閾であり、玄関ということだ。入口や玄関のない家は他者に侵入されることはない。ヴァルネラビリティは自分忘れということだ。では、自分探しとヴァルネラビリティはどのような関係にあるのか、両立は可能なのか。

この本ではおそらく、ぐるぐると周るように、同じことが繰り返し語られるはずである。あまりのまどろっこしさに本を放り出したくなるだろう。私はこの回りくどい「中途半端」なままのところが、哲学的答えの本質だと思うから、敢えてそれを最初に語っておきたい。答えは〈私〉を激しく逃れ去り、離れていく。私はそう思う。

スピノザと自分探し

一見すると、スピノザほど自分探しということからほど遠い人はいないように見える。彼は一人自分の部屋に閉じこもり、レンズ磨きをして生計を立てていたと書かれたりする。社会から孤立して生きていた。彼の主著『エチカ』を読むと、神から始まり神に終わる。神のことしか書いていない。存在するのは無限実体である神だけであって、被造物も一人一人の人間もはかなく消え去っていく様態でしかない、と語っている。

存在するものは神しかない。だから、自分探しなんて無意味の極致のはずである。事物を永遠の相において見るということは「自分を捨てよ！」ということに他ならないから。自分探しということをスピノザに尋ねたら「愚か者！」と怒るような人物ではなさそうだが、自分探しがいかに無駄な作業であるかを教え諭してくれると思う。

もちろん、この本はそういう幾千万もの言説を前にしても怯むべきではない。哲学において求められるべきことは哲学書の内にはない。有名な哲学者の言説を鵜呑みにするほど愚かなことはないのだから。いや、スピノザもまた自分の情念の荒波に翻弄される自分号という船を、安心できる港に導こうとすることが狙いだったと言ってよい。もしかするとスピノザは人間嫌いで孤独な、神のことしか考えない無神論者（！）だったのではないか。

ここで、スピノザと道元（一二〇〇～一二五三、曹洞宗の開祖である禅僧）を並べてみたくなる。こんなことをするのは怒られるような比較なのだが、もはや私のような年になると怒ってくれる先生もいない。私は怒られようが並べて考える。道元の『正法眼蔵』の「現成公案」には「仏道をならふといふは自己をならふなり。自己をならふといふは自己をわするゝなり。自己をわするゝといふは万法に証せらるゝなり。万法に証せらるゝといふは、自己の身心および他己の身心をして脱落せしむるなり」とある。深い言葉だ。自分探しという過程において常に銘記されるべき言葉だ。

仏道を学ぶというのは自分を学ぶことであり、自分を学ぶ、習うとは自分を忘れることである。自分を忘れるというのは、あらゆるものごとを制御している理法を学ぶことであり、自分と自分以外のものとの区別を取り去って、宇宙と一体化することだ。このように理解すればよいだろう。表面的な理解だが、ここではとりあえずそれでよい。

「自己をならふ」ことと「自己を忘るゝ」こととが重なるということに、ここでは注目したい。「ならふ」とは、「なる」という動詞に「ふ」という反復継続の助動詞が付いたものだ。何度も反復することによって、その働きが容易に、自分の意志によって実現できるように能力（ハビトゥス）として定着した状態だ。

「ならふ」とは反復や練習によって定着し、意識的に苦労しなくても、実現できるようになった状態だ。「自己をならふ」とは、したがって「自己になる」ということは簡単なことではないので、意識的にその状態（〈私〉）になろうと努める働きがあって、うまく行ったり失敗したりする経験を重ねながら、徐々に〈私〉に達することができやすくなるということだ。〈私〉とは、道端の石ころのように、初めから存在し、現在の後も何事もなく存在し続けられるようなものではない。

そういった困難な学習としての「自己をならふ」とは、即「自己を忘るゝなり」とくる。自分を追い求めるのをやめてこそ、自己を習うことができるというのだ。「自己をわするゝといふは万法に証せらるゝなり」とは、普遍的な原理に目を遣るということだ。スピノザで言えば「永遠の相において」見ることだ。永遠の相において見ることは、我を忘るることであり、同時に自己をならふ＝学ぶことになるのだ。

『正法眼蔵』の「現成公案」に次のような話がある。「風性常住、無処不周なり」。風の本性は常に存在していて、しかも風はどこにでも吹く。すると、扇を使って風を起こすのはどういうことかと、弟子が師匠宝徹(ほうてつ)禅師に尋ねたという。すると師匠は「お前は道理を知らない」と扇を使うばかりであった。弟子はお教えありがとうございましたと礼拝した。風性とは仏性のことであり、扇を使うとは仏道を学ぶということだ。真理の普遍的な妥当性、そしてそれを知り、体得し、それを実践することは別だということなのだろう。真理と事実はいつも風のように身の回りに吹いている。〈私〉——〈ワタシ〉と書きたくなってしまうのだがここでその気持ちを抑える——もまた風のごときもので、常住無処不周だ。〈私〉ということを強く求めすぎるのでもなく、しかし見失っているのでもない不思議な感覚がある。〈私〉を分かろうとすること、〈私〉を語りたくなってしまうこと、それはどういうことなのだろう。無数に生まれては消えていって、地球上に痕跡も残ることなく、消えていく無数の〈私〉たちが、海の一つ一つの波と同じようになろうとせず、「〈私〉はある」と言いたがり、波と同じように生きていこうとしないのはなぜなのだろう。

私は自分探しが嫌いだ

私は「自分探し」という言葉が嫌いだ。しかし料理の中で一番嫌いなものから食べるということもある。なぜ嫌いなのか。〈私〉探しとは必ず失敗することが決まっているからだ。幸福探しも必ず失敗に終わるが、我が家に戻って青い鳥を見つけたときに「やれやれ骨折り損のくたびれ儲(もう)け」と思える教訓がもらえる。〈私〉探しの結果、何がもらえるのだろう。〈私〉と大きく書いてあるアルミの弁当箱を開けたら、中には何も入っていなかったということか。

あるマンガで、自分探しの旅に出ようとする若者を話題にする中年オヤジが「自分なんか探さないで仕事を探せ！」と息巻くシーンがあった。自分なんか探しても見つかるわけはないから。

しかし私――これは誰なのだろう――は、自分探しを禁止すべきだという気にもなれないし、自分探しをすべきだとも考えない。でも、この「私」という代名詞は、この文章中では著者である山内を指したり、世界に存在する一人一人のことを指したりする。「私」という代名詞は、誰もが使うことができるもので、ロボットだって、自動販売機だって使用できる。同じ「私」というものでありながら、指しているものが使用者によって違ってくる。こういう自己言及的な記号はいろいろ混乱を引き起こす。「オレオレ詐欺」だって、電話のこちらと向こうで同じ「オレ」という記号を使い、正しく理解しているのに、別のものを指している。

嘘つきのパラドックスというのも似たような構造をしている。ある人が「俺の言うことは全部嘘だ」と言って、それしか言わない場合、この言葉は真か偽かという問題だ。この言葉が嘘だったら、この言葉が当てはまって真なる言葉を述べたことになって嘘つきになるし、嘘だったとすると、本当の事実を述べているから真なる命題となって嘘つきではなくなってしまう。頭が混乱する事態がある。

自分探しというのも、嘘つきのパラドックスと同じ構造をしているわけではないが、混乱を招きやすいという点では似ている。嘘つきのパラドックスについては簡単な解法を示しておく。「俺の言うことは全部嘘だ」という命題をAと呼んでおく。Aが適用されるのは、A自身ではなく、A以外に述べられた言葉でなければならない。たとえばA以外に「私はお金持ちだ」（命題Bとしよう）というのでもよい。Aは他の命題についての命題だから「メタ言語」というものだ。Bはそれが適用される対象だから「対象言語」というものだ。メタ言語は言葉を対象とする。AがA自身を対象とすることは、自己言及ということであって、それを認めるから奇妙なことになってしまう。自己言及の命題は真でも偽でもない、何も語っていないから、適用されるべき言葉を持っていない、と考えるべきなのだ。つまり、「俺の言うことは全部嘘だ」という言葉は、それしか言わない場合、真でも偽でもなく、不完全な命題なのである。

「私」ということの面倒さは、山内を指すのか、そうではなく、誰もが「私」という言葉を使用したり考えたりする場合に指している一人一人なのか、区別しにくいことだ。「私」ということをここでも普通に使うことにするが、一人一人の自分を指すものとして使う場合には〈私〉と山括弧をつけることにしよう。一人一人が単独者であって、その単独者の唯一性を示すために〈私〉とする使い方は、永井均さん（一九五一〜、日本大学文理学部哲学科教授）が使って以来、定着していると思う。〈私〉という言葉をめぐる論理的なパラドックスや、意識が「私」という言葉を使ったときに陥る問題とは別のところで話を進めたい。ここで考えたいのは、〈私〉ということと未来の時間との関わりなのだ。未来に投影された仕方で現れる「本当の自分」を追いかけることが「自分探し」だと思うからだ。

さて、私自身、〈私〉探しを尋ねられるとすれば、したことがないし、したことがなかったまま死んでも後悔するとは思わない。そして、それを止めろとも、そうすべきだとも言う気にはなれない。人生を分かりやすく整理することはとても傲慢なことだと思う。するかしないかどっちか一つだ、早く決めろ！　という思考法には何よりもまず反対してしまう。「ゆっくり急げ（festina lente!）」というのは文字通り正しいことだと思う。「元気に生きる」ということが「元気に死んでいく」のと等価であることと近いのだろう。

「分かりません」と言えなくて、「自分探しをしています」と弁解するのは心がいやがるのだが、思い浮かぶとしたら、その問いかけと付き合うしかない。なぜ『自分探しの倫理学』なんて本を書くのだと尋ねられれば、それは私がひねくれているからだと答えるしかない。

「自分探し」はドロ臭いもので、人前で言えるような類（たぐ）いのものではないからだ。そもそも哲学なんてかなりドロ臭い仕事である。ドロまみれを嫌ってなのか「哲学者」を自称する人もいるけれど、高慢な印象がする。人生とは根源的にドロ臭いものだ。

自分探しの救いようのないカッコ悪さ

この本のタイトル『自分探しの倫理学』というのも、なかなか気恥ずかしいタイトルだ。「還暦過ぎた人間が『自分探し』ですか」と人様は訝（いぶか）るだろう。私も訝る。救いようのないカッコ悪さをこの本のコンセプトにしたいのだ。人生とはカッコよいものではないし、しかしそれでよいのだと思う。世界は英雄や天才のために創造されたものではないから。そして、自分を探しあぐねてそのうちに死んでいくのだと思う。

自分とは何か、という問いはドイツの大哲学者カント（一七二四～一八〇四）が『純粋理性批判』で打ち立てたように、アンチノミー（二律背反）に陥るものであり、〈私〉とは理性概念（理念）であって、現実的に認識できないものであると思うのだ。またそうでなければならないと今の私――風のような私だが――は思う。

アンチノミーって、矛盾対立する命題が両方とも同時に成り立っている状態だ。世界には一番外側に限界があるということと、限界がないということは両方成り立つ。世界に限界があったらその外側に何があるのかという困難が生じるし、限界がないとしたらどこまでも広がっていてこれも奇妙だ。哲学の問いにはこういうアンチノミーがたくさんある。理論的に考えても答えが出ない。だからカントは、答えが要請されるのだと考えた。人生の意味はあるのかないのか、これもアンチノミーだ。そう言うのはとてもたやすい。でもそれは最後に辿り着く答えではなくて、出発点なのだ。

それはそうではありながら、私も若い頃、金や名誉を求める人生に嫌気がさして、いやそれを求める人々も、それを公言する人も多かったし、だからこそ月並みな生き方がイヤで、哲学を学ぼうと思った。親も学校の先生も「考え直したらいいんじゃないか」と諭してくれた。哲学は世界を逆立ちして歩くようなところがある。自分が逆立ちしているのに、他の人が逆立ちしていると考えたりするのだ。

アドバイスを受けると、正しいアドバイスであればあるほど、心は反発し、逆向きに進もうとする。忠言耳に逆らう、ということわざを聞いて、本当にそうだと素直に感心した。金や名誉をあえて求めない生き方もかっこよいのではないかと思ったのである。心がそういうものに執着していたからこそ、そしてそれに気づいていたからこそ、それに反発したのである。自分の心に反発したかったのだろう。中学生の頃からフロイト(一八五六〜一九三九)の精神分析などを生半可にかじって、心が屈折していたのである。

そういう人生を生きてきてしまったからこそ、「自分探し」という嫌いなものを考えてみたいと思ったのである。私は、物事を素直に考えている人を見ると、とても不思議な感じがする。盛り上げるべきことは盛り上げて、面白いことには笑う。そういう人生が正しいことだとは思いながらも、正しいからといってそれを進めばよい、ということから「自分探し」ということは現れてこない。「自分探し」とは、素直に、人並みに生きていこうとすることに反発したいからこそ、求められるのではないか。

大人の立場で、「自分探しですか?　私も若い頃は哲学書を読み、自分探しに明け暮れましたよ。遠い昔のことです。現実の社会は厳しくて、そんなことを考えている余裕はありませんよ」と言うことは容易だ。しかしそれは、人生は所詮諸行無常よと思い込もうとして、自己暗示をかけて、安心しながら死んでいこうとすることに似ていないだろうか。

自分探しの途上で死んでいくことが人生なのだ、と最初に結論を書いてしまうと話は続かないが、哲学は結論から前提に進んでいく学問だ。人生をその終わりから手前に向かって進む行程として考える「ひねくれ者」がいてもよいのではないか。

自分探しとは何を探すことなのだろう?

どこまで行っても分類不可能なものとしての〈私〉。そういった〈私〉を成立させる原理を求めてもそれはない。I was foundという感覚を与えてくれる者。その場合は見る目はどこにあるのか。私の心が、内側からのように、〈私〉を見る。離見(りけん)の見。

私は自分自身というものが大嫌いだった。なぜ私はこんな私なのだろうか、といつも呪っていた。なぜ呪っていたのだろう。呼吸しなければ生きていけないように、中学生の頃、自分を呪わないでは生きていくことはできなかった。その苛立(いらだ)ちを、学校や世界に向けていた。自分自身がとても気持ち悪い存在だったのだ。

「汝自身を知れ」。この言葉が古代ギリシアのデルポイにあったアポロン神殿の門に書かれていたと習った。アポロン神殿の信託によってソクラテス（前四七〇頃～前三九九）は哲学を始めたから、哲学の課題は「汝自身を知れ」から始まると言ってもよいだろう。

倫理学はどこから始まるのだろうか。そういえば、「倫理学」と書いたのだが、ここで私が考えているのは「哲学」と重なってくる。ただ、「哲学」をできるだけ用いない。「哲学をしている」とか「哲学者」と自称することは、自己弁解めいていて、斜に構えた格好つけに「哲学」という用語が用いられているようなところが気になるのだ。一言でいうと自意識過剰ということだ。

私も若い頃そうだった。哲学をしていることが、要領の悪さ、人間嫌いのところを正当化しているような、いや正当化していないとしても、エクスキューズとして用いて、そこに逃げ込もうとしているようなところがあるからだ。哲学が、社会とうまくつきあえないこと、イジメや攻撃を加えられていることからの「シェルター」として機能しているとすれば、それを否定する必要はない。物理的なシェルターにならなくても、自分で安心感が少しでも得られればそれでよい。

だから、私が「哲学」という用語を単独で用いる場合、いつも心が「そんな言葉は使うな」とささやくのだが、ここではそういった内面の声はできるだけ無視して、倫理学と哲学をほぼ同義のものとして用いる。

ギリシアにおける哲学の起源を知りたいわけではない。もちろん、アルケー（原理、起源）の探求は、目に見える世界、現実だけに目を奪われた人間の眼差しを、見えない世界や現実を越えるものなどに向け直すという働きを有していた。アリストテレスは「驚き」から哲学は始まると述べた。

自分を探すとは何を意味するのだろう。私が大学生になった頃、世間はマルクス主義の時代だった。いや正確にはそれが終わりかけていた時代だった。「自分探し」は、お金持ち、時間を持てあましたプチブル階級の「甘ったれた」悩みだと学んだ。マルクス主義の中でも、人間主義的な立場もあり、個人の悩みにも鷹揚（おうよう）な見解もあったにしろ、基本的に組織で動くのがマルクス主義であると教わった。「自分とは何か」、それは「甘ったれた」悩みなのだ。そういう見方は心の中に染みついた。

自分をかけがえのない大事なものだと思う感覚は私にはあまりなかった。男ばかりの四人兄弟の末っ子として生まれて、きっと両親は女の子がそろそろ生まれないかという期待のもとに生まれた「末成り」のような感覚がいつの間にか身についた。
子どもの頃「末成りだから」と私のことを親が評しているのを聞いて、分からないながらも心に深く刻まれた言葉だった。「末成り」と「かけがえのない自分」というのは、両立しないわけではないが、相性の良い関係にはないような気がした。

私が都会に生まれようと、山奥に生まれようと、男として生まれようと女として生まれようと、頭の回転が速く生まれようと記憶力が芳しくなく生まれようと、それは「個人」の問題でしかなくて、実在的に存在するのは、「物質」であり、物質から構成された階級的な下部構造なのだ。

しかし海から生まれた滴もまた、たとえはかない存在者であるとしても、「一つ」の滴ではないのか。

揺れ動く〈私〉

他の人と気軽に会話をしながらも、「こう言っておけば去年もらったお土産がおいしかったことが伝わって、また頂けるかもしれない」、「この先お世話になるかもしれないから歓心を買っておこう」というように、下心まみれになって、それが心を動かしてしまう場合もある。人間は相手が自分より上か下かすぐに考えたがる動物だ。すぐにマウント（示威行動）をとりたがる。それをしない人は変に思われたりする。如才ない人とはその辺の機微を見抜き、適切に、人を不愉快にさせないで素早く行動できる人だ。そういう人は「自分探し」で悩んだりはしないだろう。

ごく当たり前の世界の中で、感情の激しい風に吹かれている人をこの本の読者として考えている。普通に生きていれば、「この人にファッションのことで云々（うんぬん）されたくない」、「料理の味もよく分からない人からおいしい店を聞きたいとは思わない」、「家庭が裕福で教育機会に恵まれていれば人生は生きやすいだろう」というような思いが心を占めたりもする。

小さな心の動きは、損得系のセンサーや、自慢系のセンサーで揺れ動いたりする。過去に与えられた恥辱や暴力や損害が心を占める場合、センサーは固定的に「復讐」という黒い目盛りを指し続ける。

人間が他の人々と会話をする場合の指標（センサー）には、損得系、自慢系、勝負系、不満発散系、愚痴系、病気自慢系などがある。歓心と恩恵と、利益と名誉との組み合わせはバーター交換になっている。系を選択する際、多くの人は相手に合わせる。選択は話題だけではない。友だち同士が久しぶりに集まって出てくる話題は、損得系は少なくなって、その場で勝負をして勝って喜びを得る勝負系や、自分自身や家族について最近の出来事をご披露する自慢系が増えていく。不満発散系、愚痴系、病気自慢系なども多い。

会話の方向のセンサー、相手がどの系で話を進めているのか、自分はどの系で進めるのか、その系の選択に関する優先権の決定に、コミュニケーション・パターンをめぐる戦いが現れる。話題は重なっているのに、話しにくいことになる。選択はコミュニケーション・パターンについても生じる。

道化や醜悪なるものを嘲笑う心のどす黒さが誰の心にもある。差別する意識は心の中に強く宿っている。それをそのまま表現し、「生理的に無理」と表現する人間は、人間の文明性から離れ、獣に向かう心性を表現しているように見える。

人間は美しいものに憧れ、醜(みにく)いものを嫌う。美しいものを完全と思い、醜いものを不完全と思う。ごく普通にそういうことが見られる。しかし、完全と不完全とは人間の思い込みでしかない。自然の中には完全しかない。美しさが権力性を帯びていって、ある特定の評価基準にそって序列を定め、そこに位置づけ、その中で地位の向上を望む者から見返りを得ようとする。価値の序列があって、それを押しつけた場合、またはそれを人々が受容した場合、その落差は必ず経済的価値を生み出す。美しさは、作品の場合であれ人間の場合であれ、大きな財産と権力と名誉への近道になることも少なくない。

しかし逆に、自分がかっこ悪い、ダサい、自分は醜いと思ったとたん、心は力を失い、足元の大地が崩れ落ちていくような虚しさに襲われる。ちょっとしたことであれ、他人からの言葉やふるまいによって、人は立ち直れないぐらいの傷を背負ってしまう。

「そんな一人前のことを言うぐらいだったら、自分ひとりで生きていってみろ」という親の言葉は、子どもの反抗心による小さな言葉に対してであっても、修復不可能な関係破壊を引き起こすことがある。親は子どものためを思い、強い言葉で鍛えようと思い、見事に絆を木っ端みじんに壊してしまうことはよく見聞きする。

模倣や嫉妬という宝物

価値の落差や、格付けをして、そこに政治的権力を発動するためのポテンシャルを見出すことは、人間の行動力の源泉であり、祭りにおいて狂騒状態に入るためのエネルギー源なのだ。同じことが反復される気怠い日常は、ほとんどの人々にとっては、気力の湧かない日々だ。つまらない、退屈な日々だ。規則性や反復に心の平静を感じられる人は多くはない。変化がなければ、変化を探し出さなければならない。小さな偏差の中に、嫉妬と攻撃性と憎しみを瞬時に見出せる能力を人間は獲得した。日常生活の中において、喜びよりは、怒りと憎しみの方が素材は溢れている。

模倣と嫉妬、憧れと呪いは重なり合うものだ。模倣した人物の性質が、獲得すべきものとして、その模倣者のうちに植え込まれ、接近への激しい衝動を引き起こすためには、模倣されるべき他者は、憎悪と攻撃の対象にならなければならない。それこそ外的な価値が内在化するために必要な過程なのだ。

「ねばならない、すべきだ」。規範性というきれいごと、憧憬や自己研鑽(けんさん)ということにとどまらず、相手を破壊し、この世から葬(ほうむ)り去りたいという激しい情念でなければ、雲の上の高みにいるような他者に近づくことはできない。規範性や道徳性を尊厳としてのみ見る者は「天使主義」なのである。

天使は確かに清らかな存在であり、純粋無垢だ。我々人間は、天使のようになりたいと思ってしまう。天使に憧れて、その不可能性を知ったときに、反動のためなのか獣や悪魔のようになってしまう。天使への無邪気な憧れは、天使に人を近づけるどころか、まったく逆に悪の化身に導く場合もある。人間は人間であり、弱点や欲望を持ち、汚れを汚れとして持つ限りにおいてのみ、人間としての尊厳を保ち続けられる存在なのだ。不完全さを失った人間は、人間の条件を外れてしまうし、そういった非人間的天使性に憧れることは悪への墜落につながりかねないのだ。

腐敗した、どす黒い泥の中からこそ清浄なる蓮（はす）の花が咲くように、人間もどす黒ければどす黒いほど白く美しい花が咲く。逆に清らかでしかない人間は気持ち悪い。

シンディー・シャーマン（一九五四〜、アメリカの写真家）は、なぜ腐敗していく自分のセルフポートレートを撮り続けたのか。写真とは一種の権力関係である。撮る者と撮られる者、見る者と見られる者との間には権力関係が生じる。見る者は、見られる者を値踏みし、それを商品として買い取ろうとしているのだ。

芸術作品もそうだ。見る者、鑑賞する者は、お金を払うパトロンであり、その人々に気に入られるように作品を作る。美もまた権力関係に巻き込まれ、権力関係の中で作品が生産され、そういった権力関係から独立したところで作品を創造する行為は必ず行き詰まってしまう。

いや、見る者が見る者にとどまらず、作品の中に入り込んで、見る者が作品を作り上げるという形式もある。見る側と見られる側に分かれるときに権力関係が生じるのであれば、セルフポートレートは権力関係から逃れられる。

権力関係がいかに不愉快な側面と作品の評価を歪めてしまうところがあっても、だからといって、その権力性を拭い難く備えた「見る―見られる」関係にユートピアをひたすら求めようとすることもまた、天使に憧れすぎた人間の姿のように見える。

第二章

自分嫌いと
インティマシー

私はいかに生きるべきか、何をなすべきか。そういう悩みは、「私は昼食に何を食べるべきか」を自分に尋ねることと同じ構造があるように思う。「私はいかに生きるべきか」、お父さん、お母さん、あるいは先生に訊ねて答えを聞きたくなってしまうことはあるだろう。しかし、道行く人に「私は昼食に何を食べるべきでしょうか」と尋ねまわる人は普通の人とはみなされない。

私は今日の昼食に何を食べたらよいのか、何を食べるべきなのか。若い頃そういう当たり前のことが分からなくなるときがある。周りの人々がぐるなびを使っておいしい店はどこか、どこのケーキがおいしいのか夢中になって話しているときに、なんでそんなことに夢中になれるのだろうと、私自身は場違いな感じに襲われることがあった。そういう気持ちに襲われない人は幸せな人なのだ。世間から排除された、場違いな感じ。私はこの世界に生きていてよいのか。何かが欠如しているのだ。誰もが持っているのに、私には欠けている何か。それがあれば、私の夢は何か、それが語れるのに。

自分なんか大っ嫌いだ、若い頃はそう思う。心の底から嫌うはずもない。しかしやはり嫌いなのだ。鏡を見て、自分の美しさにほれぼれする人間にこの本は必要ない。自分が嫌いな人間のためにのみ、私は文章を書く。

自分が嫌いであっても、それでもまた心の底から嫌いなはずもないから、好きになった人に嫌われると心の底から自分がいやになる。自分を殺したいと思う。そういう思いに囚(とら)われることなく死ねる者は、地獄でも天国でもどこにでも行けばよいだろう。

私が知りたいのは、人生に住み着くためには自分を嫌うプロセスを経なければならないということだ。自分を嫌うことを通してしか自分を好きになることができない人にこそ、哲学は贈り物として与えられていると思う。

自分探しは光り輝く自分の宝石を探し出すようなイメージで捉えられる。『指輪物語』を読み通したことはないが、宝物としての指輪を手にすることに、人生の完成を見出すというのは分かりやすい話だ。しかし、自分探しとは、光り輝く〈自分自身〉を獲得することなのだろうか。苦労すれば、その後報われて幸せになれる、そんな話が決まっているのか。

古代のキリスト教の異端にグノーシス主義というものがあった。そこでは、絶対的に無垢なるものとしての〈自分自身〉というイメージが出されていた。

グノーシス主義は、人間のうちに霊・魂・肉体という三元性を見出し、魂は本来霊の仲間であり天上的なものなのだが、肉に引きずられて物質的世界に幻惑されていると考える。そこには、肉体を滅ぼせば、魂は自分が霊的なものであることに目覚め、霊とともに天上に還(かえ)っていくというモチーフが見られた。

グノーシス教徒は、本来霊的であるが故(ゆえ)に、ちょうど黄金が汚物の中にあっても、汚物が黄金を害することができず、黄金はその美しさを失わず、自分の美しさを守り抜くのと同様に、どのような行いに関わろうとも穢(けが)れることなく、霊的実体を失うことがないために確実に救われる、という信仰を持っていた。原初にあったイノセンス（無垢）、いかなる行為によっても損なわれることのないイノセンス。そのイノセンスが救済の根拠となり、そのイノセンスに気づき、それを再び自分のものにすることが究極の自分探しであり、自分の救済につながるという構図であった。このような構図は、絶対に傷つかない「強い自分」「強いはずの自分」という神話を支えてくれる。

どうしようもない弱さが世界に露呈する場合がある。世界が崩壊し、この世にたった二人だけ男と女が生き残り、女が男に「気持ち悪い」という言葉をぶつけること。「気持ち悪い」が世界の根源語として、その男の世界に刻まれることになる。

たった一回の、一言の小さな言葉で、プライドはズタズタに切り裂かれ、立ち直れないほどのどん底に落ちてしまう。若いときはそういうことがある。立ち直れないまま一生引きずってしまうこともある。なぜそんなことが起きてしまうのだろう。

「気持ち悪い」なんてなぜ言うのか？

『エヴァンゲリオン』（以下『エヴァ』と略記する）の軸となる二つのセリフは「逃げちゃ駄目だ」と「気持ち悪い」だ。『エヴァ』は自分探しの物語だと思う。だから、『エヴァ』が、アスカの「気持ち悪い」というセリフをラストシーン（劇場版Ａｉｒ／まごころを君に）においたとき、庵野秀明は、スフィンクスのように我々に謎かけをした。彼は解けない者を食べてしまう準備をしていた。

神話のスフィンクスが出したのは、「朝は四本足、昼は二本足、夜は三本足の生き物は何か」という問いかけだった。そのスフィンクスの謎を解いたのがオイディプスだった。答えは「人間」だったが、スフィンクスの謎は、言語において答えとして出されるものではなく、自分で生きながらえることで答えを出すものである。「人間」という答えを出して得意になってもいけなければ、英雄になってもいけないのに、オイディプスは傲慢の罪に陥ってしまった。そして滅んでいった。

もしかすると、スフィンクスは生きながらえて、冥府において、第二第三のオイディプス達が滅んで、墜落してくるのを待っているのかもしれない。庵野秀明もまた不死身のスフィンクスとして君臨し、誤った答えを出す者を待ち構えているような気がする。

自分自身の中心に光り輝く宝石ではなくて、黒くてデコボコの石炭しか見出さない場合、自分探しはできなくなってしまうのか。人間がエデンの園に産み落とされるのではなく、泥炭の湿原地帯に産み落とされる場合に、楽園に回帰できれば自分を獲得できるという神話を夢見ることを拒まれてしまうのだろうか。

「嫌いな自分」から始まる自分探しはできないのか、それを知りたいのだ。親から愛され、温かい家庭の中で育った人間が自分探しをするというのであれば、それはそれで勝手に探せ、と突き飛ばしておいてもよいのだが、毒親環境の中で自分探しはできないというのか。否定的自我論も可能なはずだ。

「自分大嫌い系倫理学」というのを考えてみる必要がある。「エヴァンゲリオン系倫理学」と言い換えてもよい。なぜ若い頃は、とめどなく、破壊的な衝動が強いのだろう。疾風怒(しっぷうど)

濤の激しい怒りは途方もないエネルギーが必要だ。しかしいつの間にか枯渇してしまう。だが、「気持ち悪い」という言葉が、心の傷として残り、その痕跡がじくじくと疼き続けるとき、人生は何色で染まることになるのか。

「自分大好き系倫理学」は、完成主義(perfectionism)、つまり、自分に与えられた本性を完成させることが、自己実現になり、自分探しになると考える。生まれつき与えられたものを、贈り物として受け取り、それを完成させればよいわけだ。しかし、毒親に育てられたり、家が貧しかったり、親が忙しすぎて十分な愛情を注いでくれなかったり、虐待があったり、学校でイジメがあったり、という「毒毒生育環境」においては、肯定的倫理学は打ち立てにくい。しかし、「人間は皆悪魔だ、皆殺しにすべきだ」という破滅的世界観は、本人にも周囲の人にも苦しいだけであり、災厄である。

「自分らしさ」を確保できる者は、どのような環境においても「幸せ者」だ。自分らしさを、顔貌や容貌に見つけられる者は、自分で自分らしさを見つけようとしなくてもよいから楽である。それを維持しようとしなければならないから、本人に聞けば「大変だ」と言うのは決まっているのだが。自分の独自の世界を、小説や音楽や演劇や哲学の中に求める者も多い。演奏しているとき、舞台で役者を演じているとき、照明が当たり、人々の注目を浴び、興奮の高潮において陶酔が現れ、唯一性を実感できる。それと似たようなリアルな感じを日常生活の中に求めることは簡単ではない。

魂の傷つきし者達のためのレクイエムがほしい。人の上に立ち、強い心を持っている人に哲学もレクイエムも不要だ。私は強い者達の徳を知りたいのではない。弱い者が持つ徳の姿を見たいのだ。

フツーなんてどこにもない

「フツー」というのは一種の呪いだ。うちの家庭は普通ではないのかもしれない。人並み、世間体、標準というどこにもないものが気になってしまう。「お前は普通ではない」というのは、決して褒め言葉ではない。哲学者を親に持ってしまった子どもは普通ではない。カワイソウだと言ってよい。医者やお坊さんか学校の先生を親に持った子どもは、昔よくイジメの対象になった。普通とは違うからだ。普通でない子どもはいじめられたのである。

普通の人生と普通でない人生を比較することはできない。普通の親と普通でない親を体験して、普通の親の成立要件を確かめることはできない。「普通」ということは、与えられることのできない比較可能性を夢見ることで成立する。テレビのドラマや映画を見て、他の家庭の姿を確かめて、自分の家庭は普通とは違うと思うこともある。しかし、テレビに描かれる家庭は普通のはずがない。

自分は正常だ、まともだという意識には暴力性、差別への傾向性が含まれている。

> 人間は否応なしに狂っているので、狂わずにいることが、他の狂気のあり方からすれば狂っていることになる。
>
> （パスカル『パンセ（中）』塩川徹也訳、岩波文庫、二〇一五年、四三頁）

フーコーは理性と非理性との距離を大きくし、そこに断絶を作って、非理性と見なされた者を差別し迫害する社会を弾劾し続けた（フーコー『狂気の歴史』田村俶訳、新潮社、一九七五年）。そこに正常や常識の思い上がりと傲慢がある。フツーというのはマジョリティ（多数派）ということだ。マジョリティもまた誤ることを二十世紀は何度も経験した。

狂気、錯乱、非理性というラベルを貼って、発言権を奪うことは暴力的だ。そして、外人、女性、田舎者などと、自分のことを棚にあげて、自分自身を裁かれない場所に保護隔離して、自分は間違っていないという無謬性という透明マントをまといながら、世間を批評しようとする。近代的な自己意識とはそういうものだった。体と心の痛みを知る者は自分が正常などと思いはしない。

「フツー」も「自分らしさ」も心を縛り付ける。そういったものは身につけられれば、それがいかにか弱いものだとしても、とりあえず自分の縄張りになる。メンコのうまさや、蛇のしっぽをつかまえてグルグル回しができる度胸は縄張りとなり、自分らしさの堡塁（ほうるい）を確保することになる。同じ土俵に立って、張り合うものが出てきたとしても、それは張り合うためのルールを守った上での勝負だから、自分は認証され、ある意味で守られている。美人であれ美男子であれ、それは自分を守る城壁となり得る。

自分を守る城壁を作りにくい者はどうすればよいのか。古賀新一のマンガに『魔女黒井ミサ』『エコエコアザラク』というのがあった。「エコエコアザラク、エコエコザメラク云々」という呪文によって呪いをかける魔女黒井ミサの物語だった。「アブラカダブラ」でもよいが、呪文の言葉は意味を持たないことによって、相手によって解読されるのを防ぎ、対抗手段を持たれないようにするという魔法固有の機能を実現できる。

魔法陣もそうだが、呪文も魔法も他者の能力が及ばない、自分だけの力が及び、自分の望みを叶えられる領域を確保するための技術だ。そういう領域が確保できるかどうかという事実問題を云々したいわけではない。魔法が及ぶ領域は、自分に広がる領域と重なることに注目したいのだ。自分の思い通りになる領域とは、親密圏とも呼ばれる。暴力性を持った主体は、この親密圏の中で、暴力を思う存分振るおうとする。この親密圏が、家族にまで広がってしまった場合、恐ろしいことが待ち構えている。家族思いのファミリーパパも、家庭内暴力の毒親も、領域の形成においては同じである可能性もある。

世界との関係を作るための呪文があるのかもしれない。「バルス」とは、『天空の城ラピュタ』で使われた呪文だ。「閉じよ」という意味で、ラピュタ崩壊を意味する「滅びの言葉」だ。

呪文というのは、短い言葉であり、意味もはっきりしないのに、大きな力を秘めている。「開け、ゴマ!」もそうだ。

そして、相手との関係を拒絶するために用いられる「気持ち悪い」もなにやら呪文めいた力を有している。「きもい」も「生理的に無理」という表現もそうだ。相手の人格と人間全体を拒絶する、きわめて暴力的な表現でありながら、用いられることは多い。

バルスという滅びの言葉に人々が夢中になるのは、短い呪文の内に、強力な武器としての側面を求めているからではないか。「気持ち悪い」の一言で、一撃で相手を倒す破壊性を求めているのではないのか。

なぜ惣流・アスカ・ラングレーは、「気持ち悪い」とつぶやかなければならなかったのだろう。あれはどういう呪文だったのだろう。シンジの気持ち悪い行為を見たからだ、そう答えてしまうと、問いに対して、事実を答えてすべてが済んだと思うことになってしまう。答えても終わらない残余にこそ問いの本質が潜（ひそ）んでいる。

「私はあなたが好きです」という呪文によって新しい絆が生まれる場合、それはハッピーエンドなのだが、何も生まれることなく相手からの言葉が「ごめんなさい」とだけあって、言葉だけが宙にさまよって、壊れて、粉々になって、風に吹き飛ばされて行ってしまうときがある。

まずは失敗してみろ！

失敗してみることは大事なのに、現代社会では一度失敗してしまうとドロップアウトしてしまうような構造がある。〈私〉探しだって、自分とケンカしてみないと〈私〉なんて感じられない。家出してみて、「家」の良さが分かるように、自分とケンカして、〈私〉から〈私〉自身が離脱しないと〈私〉に出会うことはできない。ケンカしたことのない自分なんて親から相続した自分でしかない。

だからなのか、現代の学校ではひたすら失敗しないように教えられる。第一のミッション、夢探しに邁進せよ、と命令が下される。先生達も失敗できないように管理されている。失敗すれば、葬り去られるのだ。

我流とは失敗だらけの、効率の悪い方法で、失敗してもリカバーできるだけの環境と気力と幸運がなければならない。失敗を許容する社会でなければ、自分探しもまた、拘束され制限され監視された自分探しになってしまう。教育はうまく進むことより、失敗してもやりこなす道を教えることであってほしい。

多くの若者たちのヒーローだった清原和博は、「僕は野球をやめてからいまだに目標が見つけられていないんです。それは逮捕される前からずっとそうなんです……」（「Number Web」鈴木忠平氏の記事より）と述べた。多くの人々の多くの夢を破壊した。人間は他の人達に夢を提供するために生きる必要はない。しかし、スターやタレントと呼ばれて、テレビに登場する人々は、自分のためではなく、世間の人々に夢と希望を与えるためにメディアに登場する。だから、様々なＣＭがその人の魅力にぶら下がろうとする。有名になるとは、鼠小僧の墓石が削り取られてなくなっていくように、存在がメディアによって削り取られる過程に身を捧げることだ。自分自身は自分にとって夢や希望になることはない。他の人にはそうであっても。

夢が実現してしまうと、夢も希望も人生も燃え尽きてしまう。白い灰だけが残るのであれば、苦しみは少ない。肉体と精神が太陽の下に残るとき、残り物の人生は何を求めればよいのか。人生とは目的のための捧げ物、供物でしかないのか。夢や目的に回収されない人生を！

いや、幸福ってなんだっけ？　幸福とは失敗しないことではない。幸福に定義はない。あったら不幸のタネだ。幸福とは、分からないものである限りにおいてありがたいことだ。買う前にはずれと分かっている宝くじを買って何もうれしくないように、幸福とは何か、分かってしまっていれば、幸福を目指して生きようとする人々が増えることはなく、かといって人生の目標を何においたらいいのか分かりにくい状況では、幸福以外に人生の目標を考えつくわけではない。カントの哲学書を全部読むことが人生の目標、幸福と考える人は、少数すぎて存在しても存在したと見なされることはない。

幸福とは何か。それは「問い」の形はしていても、問いではなくて、「謎」の構造を持っている。「問い」と「謎」とは、疑問文の形をしているので、形は似ているが構造が異なる。「人間とは何か」それが問いであると思えば、人類学を学ぶ方がよい。「人間とは何か」、謎であると思えば、哲学を学ぶのがよい。

哲学的問題の多くは、「なぞなぞ」の構造を持っている。「なぞなぞ」の問いにおいては、問われている概念の定義を与えることが謎の解消にはつながらないのである。謎において、よい答えとは、さらに探求を先に進めることだ。これは決定的に大事なことだ。

ジョン・ロールズ（一九二一〜二〇〇二、アメリカの政治哲学者）は、彼の代表的著作である『正義論』の第三部で「アリストテレス的原理」というものを持ち出した。この本は、正義の二原理という有名な定式化で知られるが、人間がどのようにして正義に辿り着くことができるのかを書いた第三部は性善説的で、人間はここまで向上しようとするものなのか疑いの心も湧いてくるが、喜びや楽しみを重視している点は大事なところだ。

人間は自分の実現している能力（先天的な能力でもよいし、訓練によって獲得された才能でもよい）が行使されているのを楽しみ、そしてその能力が実現されればされるほど、向上すればするほど、組み合わせが複雑になればなるほど、その楽しみは増大する。これがアリストテレス的原理というものだ。アリストテレス自身が明言しているわけではないから「アリストテレス的」と言われるが、アリストテレスの考えを踏まえているのは確かだ。目的や限界に到達したときに、満足や諦めに終わらないで、先に進む心だ。

他者と自分との境界

私はものが分かっているような者の立場で語ってしまう、語らねばならない立場に置かれている。教師は威厳を持って語る者だと人々は思うからだ。威厳を持って神殿で語る者は権威者によって嫌われる。しかし、威厳を持って語らなければ人々に信頼されることはない。「強い大きな倫理学」を目指す者は威厳を持って語ろうとする。しかし、「小さな倫理学」を目指す者は物陰で心細げに裏声で語る。私は自信を持って語りたいとは思わない。私は何も分からないまま死んでいく。それで悪いわけではない。

自分と他者とはどのように関係し合うのか。子どもの頃、世界は子どもに対して優しく、親和的な雰囲気に包まれている。もちろん、世界には、戦争の中にあって心の安まるときがない子ども達も、食べ物や水に事欠き腹をすかした子ども達も、荒(すさ)んだ家庭の中で暴力的雰囲気のもと過ごす子ども達も多い。とはいえ平和な状況では、世間は子ども達に親和的である。

青年期に入ると、大人の世界への入会儀礼として、試練の時期が始まる。その試練を乗り越えない限り、大人の一員にはなれないのだ。その時期は、敵対する人と、親密な関係を結ぶ人が分かれてくる。敵と友だちと親密な他者との関係を作り上げる時期になる。

敵との関係、それが攻撃的なものにならないためには、権力の優劣関係を確定し、それを確認しあう作法を身につける必要があるし、親密性（インティマシー）を形成するために、やはり別の作法を身につける必要がある。それは、同時に自己同一性を獲得する時期ともなる。

筋金入りの快楽主義者というのは、なかなかお目にかかることができない。世の顰蹙（ひんしゅく）を買うからである。「飲む打つ買う」というのが、男の三道楽煩悩だと言われるが、そういう道楽を追求することが許されるのは落語の世界だけであって、リアルに追求していたらそういう人は糾弾するしかない。人生が快楽（効用であろうと何であろうと）のために存在しているというようなことはない。効用や意味や成功が実社会やリアルな世界で求められると語る倫理学はこれからも続くだろう。しかし私にはそれが事実だとは思えない。意識を欺（だま）して動かすための見せかけだけでしかない。意識はすぐに絶望し、元気をなくすから、意識が元気を出すような言説を作り上げなければならないというのは事実だ。意識をすかして欺して動かすしかない。そしてその規準で真理が設定される。しかし、様々な宗教はそれを幻想として葬り去り、そして同時にそれが現実の真理であることを語ってきた。だから快楽は、心を動かす限りで真実だというしかない。

快楽主義として有名なのが、古代ギリシアのエピクロス主義者（エピキュリアン）である。実際のエピクロス主義者は、わずかなパンと少しのワインがあれば幸福であり、それを享受すべきだという立場だから、節約に生きた禁欲主義者といった方が良いのだが、快楽（アタラクシア）こそ人生において追求すべき価値であるという言葉の端だけが世間に流布して、快楽主義者と見なされるようになってしまった。質素な生活もまた楽しい快楽の生活であるという見解だったわけだ。

そういった古代の快楽主義者ではなく、食料と事物に溢れた時代における享楽的な快楽主義の場合、彼らは何を求めて生きているのだろうか。朝から晩まで快楽を求めて生きているのだろうか。快楽を追求し続ければ、たちどころに破綻（はたん）滅亡の道に入り込むのははっきりしている。倫理的な快楽主義者は持続可能性を考える。

そういう正しい快楽主義者には言い分がある。快楽そのものに価値があるのではない。至高の価値を求めるのは愚の骨頂なのである。充足の可能性の形式を完成させる項として大事なのであって、形式を完成させる限りにおいて、その快楽は完全なものなのである。充足の形式を完成させ、充足を現実化するものは、それがいかに小さな快楽であれ、快楽としての徳(?)を完全に有している。

人生もまた同じである。小さな目的であれ、それが人生という形式を完成させ、充足するのであれば、完全なものなのである。正しい快楽者は人生の達人なのである。

〈私〉と他者の境界はどのようにして作られるのか

『エヴァンゲリオン』に登場するATフィールドの「AT」とはAbsolute Terrorのことだ。絶対恐怖空間と訳すことができる。心の壁ということだ。心の壁を溶かして入り込んでくるものがあって、それが核として中心に存在する自己同一性を壊してしまえば、〈私〉ということも崩壊してしまう。壁を構築しようとする力と、壁をなくして開かれた空間を作ろうとする気持ちが鬩(せめ)ぎ合う。

境界を作るのは、とどまり続けるものを構成するためだ。差異こそが、自己と他者とを区分し、自己をして自己たらしめ、同一性を構成することを可能にする。その個体性を作るものは、他のところにない独自なものなのか。自分をして自分たらしめるものは、自分は世界に一人しかいない以上、個体的差異というのは他には見られない唯一性の基礎のようにも考えられる。それを否定したのが、ドゥルーズの〈このもの性〉理解だった。だが、本当にそうなのか、私の唯一性とは論証できることなのか。

リズムが表現性をもつようになると、それだけで領土が生まれるわけだ。

（ドゥルーズ＋ガタリ『千のプラトー（中）』宇野邦一訳、河出文庫、二〇一〇年、三二六頁）

ヒバリの領土の個体性は、何ら独自な性質を持つことなく、同じさえずりの音を反復することによって形成される。単純なものの反復によって個体性が形成される、それはとても魅力的なアイデアだ。世界の唯一のものとしての個体性、そんなものが可能だと誰が考えるのだろう。ヒバリのさえずりが、音の反復であることをやめて、表現性を持つようになると、それは領土を確定する働きを持つようになる。

「チクショー、チクショー」と呪詛吐きを繰り返しながら、夜更けまでよろよろとふらつく街角のオジサン達も、同じ言葉を反復してさえずることで、自分の領土を作り上げている。彼らは夜のヒバリ達だ。

動物が匂い付けすることによって自分のテリトリーをマーキングするように、分割されていない土地が刻印づけられることで領土が誕生する。その領域において自分は主人としてふるまうことができる。支配圏（ドミナンス）の圏域がそこに現れる。

「私」をさえずること、「私」という言葉を繰り返すことによって〈私〉の領域が確保される。繰り返すこと、つまりリフレイン——音楽の形式としてはリトルネロ——は、反復によって、新しいものをそこに生み出す。鳥が同じ声でさえずるときに、自分のテリトリーを作り出すように、反復は固有の空間を形成する。「私」をさえずること、「私」のリトルネロこそ、現代のリトルネロなのだ。インスタグラムに投稿される無数の自撮りは、「私」のリトルネロなのだ。〈私〉とは「私」をさえずり続ける者のことなのだ。

ドゥルーズ（＋ガタリ）は、『千のプラトー』で、リトルネロを何度も繰り返す。「資本主義と分裂症」というサブタイトルを持つ本書は、精神分析と哲学と資本主義とが自由自在に飛躍した言説を作っている。しかし、そこにはリトルネロという音楽の形式が常に鳴り響いていることを思い起こさせるのだ。反復は複雑なものを作り上げる。

この世には、ほとんどの人は知っているけれど、「それは言わない約束でしょ」というようなことがたくさんあるということに私が気づいたのは、かなり歳をとってからのことである。真理に気づかないままでいることの方が幸せだったりする。普通の人と自分は違うと感じる人は、それが何なのかを知りたくて人に尋ねてみても、教えてもらえない。

「語られない常識」とそれを呼ぼう。哲学は深遠な知識だということできっと教えてくれるに違いないと思って、哲学の門を叩く人もいるようだ。哲学を学んでいて、常識に溢れる人は多いか少ないか、断定に困るのだが、常識の専門家と考える人は多くないだろう。これも「語られない常識」だろう。

「お手柄を挙げたよ」というときには声が大きくなる。「私ってすごいでしょ」という響きが込められている。勝ち負けこそ、気力を引き起こす原動力だ。「負けないぞ！　負けてたまるか！」と思うから、普段出せない力も湧いてくる。しかし人間関係は勝ち負けだけではないし、勝ち負けが絡まないと力が湧かないというのでは、いつも負けそうな人を物色する人間になってしまう。人生は勝ち負けの舞台ではない。

誤りだらけの独善家でも、意見を主張することで物事を進めていくことができる。そしてそれが成功につながる場合も少なくない。大規模に発展していくと、独善を修正することもできず破綻する場合もあるのだろう。

家庭の中で子育てをすることは手柄とはなりにくい。離乳食を工夫し、お手柄を挙げた、と評価されたいのに、子どもはプイとよそを向く。お手柄を無視するのは、敵対するものの行為だ。そこに怒りと攻撃性が生まれる。子どものためを思い、全力を尽くす行為が、手柄を立てようとする思いのために、子どもを敵に仕立ててしまう。

手柄を立てたいのは、人間の心には「役に立ちたい」という心理が普遍的に潜んでいるからだ。しかし、「役に立つ」ことは、誰にも知られぬままにとどまり続けることが難しい。それが知られ、評価されるとき、「手柄」となる。役に立つことは手柄になることを求めているのであって、人間によって知られることがなくても、神が知ることによって、手柄や功績になる。徳の報酬は徳そのものの内に宿るというのは、そういうことだろう。

倫理学の基本は、善の規則を守ることではない。規則を守るだけでは、善は善たり得ない。倫理学は論理学ではない。他者が関わってくる。他者は倫理学の可能性を準備し、充足に向かう道筋を準備するためのものであるだけで十分であるから、現実的な他者でなくても、かまわない。ロビンソン・クルーソーが倫理的になる可能性の条件は他者が隣りにいることではなく、他者がその島に来るかもしれないという期待だけでもよい。可能的他者は倫理学を準備する。未来の人類に向けての倫理学を嘲笑う人間は、倫理学の基本を何も知らない人間なのである。可能性の領野を扱えない倫理学は路傍に放っておいてよい。

〈私〉の領域もまた、領土化によって成立する。領土化するために、動物は匂い付けをするが、人間は自分の支配圏の及ぶ領野を確保しようとする。人間が少なくて、広大な土地があれば、場所を仕切り、そこに壁や垣根や堀を作ったりして、自分の領地を確保できる。人口の密集した都会では土地を仕切ることで、自分の領土を確保することはできない。だから耳にヘッドホンやイヤホンをつけて、目に見えないプライベートな聴覚圏域を疑似的に身の回りに張り巡らせて、自分の心に領土を確保しようとする。それもまた一時的で疑似的な領土でしかないが。

〈私〉という領土は自分の独自性によって刻印づけられる。そしてその思いは、何の競争においてであれ、そこで一位をとることで実現できるようにも見える。塾や教室、クラブなどでチームワークの重要性を叩き込まれた人は自分が一位とは思わないのだが、そういう一位に典型的に見られる唯一性を憧れてしまう。

そういう自分らしさを問い求める場合、「このもの性」ということは唯一性の典型的モデルを充たすように見える。自分らしさに応えてくれるものが「このもの性」であるように思ってしまう。

〈私〉という領土を侵すことは攻撃に他ならない。親密性（インティマシー）を作ることは、〈私〉を成立させて壁を壊すことだから、それを恐れる者には攻撃になる。愛も友情も見方によっては攻撃に他ならない。

攻撃することは最大の防御だ。攻撃することは、自分を守ることにもなるし、〈私〉を獲得することにもつながる。だからなのだろうが、世界や人間に対してアグレッシブであることを是とする傾向は強い。ビジネスの世界は典型的だ。A型性格とも言われる。世間ではA型性格の人が目立つ。活躍することが多いから。ところが、多数派の人々は、臆病者だ。そして、世界はきっと臆病者のために存在している。政治的権力の統一を実現するために、隣国への攻撃に国力を費やす必要のある時代においては、攻撃的な人々は必須であり、膨大に必要である。

事実は、それだけでは人間の心を引っ張っていくことが難しい。事実に付け加えられるものとしてのアルファ、付加価値が目の前にぶら下げられると心は動き出す。

このアルファが希望なのだ。希望の原理である。ここには、物語という希望生産の図式が見られる。事実だけで未来を創ることはできない。生命も人間も倫理も事実を超えてきたのではないか。では、事実を超えるとは何を意味するのか。

事実に飲み込まれてしまう倫理学は滅びてしまう方がよい。事実の上に付け加わる非事実の可増分の光、これが希望だ。〈私〉ということもまた、壁に守られた、自分のものとして確保されたものとしてあるのではない。〈私〉ということは、希望という自分自身の伸びしろの中にある。作り上げた自分を守り続けようとするとき、〈私〉ということは毀れ崩れていく。〈私〉を作っている境界は常に飛び越えられるべきものなのだ。

ケンカの論理学

オーストリアの心理学者ワツラウィック（一九二一〜二〇〇七）らによる『人間コミュニケーションの語用論』（ポール・ワツラヴィック、ジャネット・ベヴン・バヴェラス、ドン・D・ジャクソン著、山本和郎監訳、二瓶社、一九九八年、第二版は二〇〇七年、原著は一九六七年）という本がある。大好きな本だ。人間関係、特に夫婦関係を考える上で多くのことを教わった。

そこでは、オールビー（一九二八〜二〇一六、アメリカの劇作家）の『ヴァージニア・ウルフなんてこわくない』の紹介と分析が面白い。存在していない自分の子どものことで大ゲンカをする夫婦が描かれている。罵詈雑言が徹底的に交わされ、夫婦ゲンカの典型的パターンが示される。その中で真実に目をつぶり幻想にすがって生きていく人間の姿と、結婚という形で結びついた男女の関係が赤裸々に描かれる。妄想を材料にしてケンカすることでしかコミュニケーションがなくなってしまった夫婦、それは珍しいものではなく、どこにでもあるものだろう。共通の話題が消滅し、もはや妄想を共有することでしかケンカもできない夫婦は仲が良いのか悪いのか考えさせられる。

夫婦関係が、どっちが偉いかを競う競争の場だったら居心地が悪い。一方が給料を多く稼いで経済的な貢献が高ければ、給料の少ない方は、家事面での貢献が期待される、というようなことなのか。相手が喜ぶことをしたい、休息が取れるように長く寝ていられるように自分が家事をする、ということは犠牲的精神の現れではなく、他者と自分が相互に関係の逆転を含むような関係が夫婦ではなかったのか。「夫婦会社」での業務の均等分担のシステムのような家庭はアットホームな感じがしない。そういう場所では、〈公〉と〈私〉、家の外と家の内が一つになって、長い軒先の下のテーブルで食事をとり続けるような感じがしないのか。夫婦ということがドミナンス（支配）を示すための領域になってしまうと、それはとても居心地の悪い空間になる。夫婦や家庭が競争や権力関係の展示場になってしまうようなことは避けるべきだ。

ドミナンスは、テリトリーを構築した後で初めて顕示できる。家庭や内輪というドミナンス領域において、「オレは偉いぞ」を示すことが、ドミナンス志向人間の一生の目的なのである。そのためにバーベキューをご披露する。いたるところに「バーベキュー担当大臣」が登場することになる。コントロール・フリーク（仕切り屋）とか鍋奉行とか言われるあり方と同じだ。人生は勝つためにある、負けてたまるか、という心がけのようだ。

勝っていることを示すためには、マウントをとって、相手が負けましたという行動を示すことで周知のものになる。負けてくれる他者がいないと勝者になれない。ライバルである他者は、自分が勝者であることを支えてくれる最大の仲間になる。「勝つと思うな、思えば負けよ」という歌のセリフがあった。ドミナンス・マウント体制においては、「勝ち」は必然的にいつも「負け」でもある。

初期のフェミニズムは、女性がドミナンスを獲得するための戦力を見出すための闘争であったと考えることができる。しかし、ドミナンスを目指すこと自体が、挫折の必然性を抱懐（ほうかい）していた。ちょうどプロレタリア支配を目指すことがそうであったように。

格差の是正や平等への願いが、自分が上に立つための奪権闘争になってしまうと、平等が勝利を収めても、いずれ制度は腐敗し、格差が再び支配し、奪権闘争が始まってしまう。完全に平等な社会、順位をつけない世界が争いのない世界かと言えば、きっとそうではない。すべての個体が同じ属性、同じ身長、同じ顔、同じ声しか持たなくなり、個体化の原理を持たない生物になってしまえば、競争はなくなるだろうが、人間はどんなに小さな差異にも順番をつけようとするだろう。個体化の原理は、それぞれの個体が個体であり、自分が個体であることを確認するために要請されるのである。個体が最初にあって、後から個体化が後ろ向きに作り上げられるのである。

シンメトリー型とコンプリメンタリー型のコミュニケーション

シンメトリー、すなわち対称性ということだが、これがコミュニケーション・パターンにおいて登場する場合、特定の働きをする。お互いの行動を反射する傾向を持つ。言い返すのが基本パターンである。怒られたら逆切れするのが、シンメトリー（symmetry）的パターンである。

相手が自慢したらこちらも自慢話をし、相手がさらに自慢してきたらそれに対応する自慢話をするという形式である。張り合う対話である。にらみつけてにらみかえす、ということであり、ケンカに発展しやすい。

夫婦の場合、家庭への貢献度、すなわち給料面における経済的貢献と家事育児における家政学的貢献とにおいて、夫婦が自分の貢献度を認めてもらおうとしてケンカになるのは、シンメトリー型の形式に入っている。相手も自分も互いに貢献度を主張して、相互承認に到達しない場合にはケンカになる。

怒られて謝るのが、コンプリメンタリー（complementary）型である。補償型と訳せばよいだろう。押さば引け、という態度であり、アクティブ・リスニングというのも近いだろう。相手が自慢すればそれを褒め、相手が攻撃的になってくれば、受容しながら引き下がるという態度である。興奮している相手を沈静化する効果がある。夫婦の場合であれば、夫唱婦随でも、ノミの夫婦でもどちらでもよい。コンプリメンタリーの方は、差異の最大化に基づく相互作用である。母と幼児、医者と患者、教師と生徒など、権力関係で落差がある場合に見られる。ボケとツッコミ、愚痴役と慰め役、話し上戸と聞き役などにも見られる。

ボケ(トボケ役)は冗談や言い間違いや勘違いを犯す。小さな笑いが生じる。ツッコミ(相手役)はそれを指摘することで、上の立場に立って、落差を作り、落差を強調することで、笑いを大きくする。笑いの大きさは地位の落差と比例するのである。小さな落差からそれを拡大強調する芸能が漫才というものだった。相手役がツッコミをせず、ノル場合もある。しかし、ツッコミは上に向かい、ボケは下に向かうのが基本的構図である。両方とも上を向いた場合、それは張り合うしかない。

ガン(眼)をつけるという動作がある。にらみつけるのであるが、これは上に立とうとするマウント行為だ。相手も張り合えばケンカになる。夫婦関係においても、似たもの夫婦の両方がツッコミをやると、ケンカになる。両方がボケをやっても、見る人がいなければ、しょぼくれた夫婦である。両方とも同じようなパターンを示すのが、シンメトリー型(対称型)であり、補うパターン、つまりボケとツッコミ型がコンプリメンタリー型となる。「意気地ないな」という言い方があるが、意気地とはマウントの一種だから、皆が意気地を示していたら、世間はケンカだらけになってしまう。

コンプリメンタリーな相互作用は、最初は興奮や緊張状態で始まりながら、平静な安定状態で終わるのが通例である。たとえば、医者と患者の関係において、患者が憤然として立ち上がって部屋を飛び出していくことで終了する治療はきわめて少ないはずである。問題はシンメトリー型の方である。こちらは興奮を沈静化するのではなく、対抗することによってさらなる興奮に引き込んでいくコミュニケーション・パターンである。対抗関係であれ、ケンカに帰着するこのようなパターンはなぜ存在するのだろうか。こちらの作用は、差異の最小化と同一性の現象で特徴付けられる。これは、真似っこであり、売り言葉に買い言葉というケンカのパターンである。

シンメトリー型は張り合うことであり、争いに発展することが多いコミュニケーション・パターンである。シンメトリー型の方は、当初の鎮静状態から、激しい興奮状態に向かうこともある。ケンカ、勝負事などはその典型例である。一方が引き下がり、コンプリメンタリーな相に転じると、興奮は沈静化する。

では、なぜシンメトリー型が存在するのか。シンメトリー型は、争いといった破壊的な結果に帰着することも多いが、同時に、興奮と熱狂を引き起こす形式を含み、新しい事態を立ち上げる場合にも登場する。祭り、宴会は、音頭を合わせる、返杯するなど、シンメトリーな相互作用を反復することで盛り上げる形式をとる。新しい組織や新しい事業を始める場合にも用いられるし、恋愛などにおいても重要なパターンである。宴会のご返杯もその制度であったようだ。

ケンカにしても、祝祭にしても、恋愛にしても、通常の状態よりもはるかに大きな活力を必要とし、それを引き起こすのが、シンメトリー型なのである。胸のときめきを発生させるためにはシンメトリー型が必要なのだ。

制御理論から概念を借りてくると、シンメトリー型相互作用においては、ポジティブ・フィードバックが見られるということになる。フィードバックは、一般に出力が上がりすぎた場合、上がりすぎた出力を入力の方に反省的に反映させることで、出力を調整することである。ネガティブ・フィードバックとは、出力が上がりすぎた場合、入力を制限し、小さくすることで、出力を抑えるわけだ。

世の中にあるフィードバックのほとんどは、ネガティブ・フィードバックである。ポジティブ・フィードバックは、ほとんどの場合、システムが崩壊してしまうから特定の場合にしか用いられない。ポジティブ・フィードバックのＩＨ家電がもしあれば、一度使っただけで火事になってしまう。クーラーは一度つければどこまでも温度を下げて、部屋を冷凍庫にしてしまうだろう。歯止めのない連鎖反応であり、核爆発もその原理を使用する技術ということだ。

ポジティブ・フィードバックは、プラスの結果に対してさらにプラスの結果を付け加えて、反応を急激に推進させる働きだ。国家や組織を作り上げたり、恋愛したりするときのように、新しく物事を始める場合には不可欠の能力だ。そうしないと新しいことは出来上がらない。

でも、シンメトリー型は普通の場面では破壊的にしか機能しない。適切な場面に使用されない場合には、闘争と破壊を引き起こすものとなる。仲がよすぎるとケンカばかりしているというのは、同じコミュニケーション・パターンが使用されるから、ほとんど同一のことなのである。だからこそ、ポジティブ・フィードバックを使用する場合には、特定の場面で沈静化の儀式を行う必要が出てくる。第三者（親分、棟梁、仲人、主催者、司会）が必要になる。終了させる能力を持つ者がいない場合には、内乱や内紛や闘争に発展してしまい、一方が敗北宣言を出すか、全滅するまで続けられることになる。

シンメトリー的な場合、一方が自慢すれば、もう一方もそれに対応する自慢を行う。張り合うのである。一方が「ワンアップ」すれば、もう一方も「ワンアップ」するのである。一方が「トゥーアップ」すれば、もう一方も「トゥーアップ」するのである。シンメトリー的作用は、模倣ないし物まねであり、非創造的にも見えるが、新しい事態を引き起こす作用である。逆に、コンプリメンタリー的な場合は、一方が「ワンアップ」すれば、もう一方は「ワンダウン」するという形式をとる。

コンプリメンタリー形式とシンメトリー形式の対比はとても面白い。この二形式の対比で、人間相互の様々なコミュニケーション・パターンが説明できるのである。シンメトリー型が破壊性を有し、危険であっても、これの欠如した人生はつまらないことこの上ない。

コミュニケーションの行き着く先は

この両者のコミュニケーション・パターンにはそれぞれ病理的現象が伴う場合がある。一方に偏る極端は最後には壊れてしまう。シンメトリーの場合は、エスカレーション（昂進(こうしん)）であり、制御するものが外から与えられない限り、エスカレーションは止まることなく、したがって破滅に陥る。それを、グレゴリー・ベイトソン（一九〇四〜一九八〇、アメリカの文化人類学者、精神医学者）は「ランナウェイ（暴走）」と呼んだ。古代のストア学派でも、情念をめぐって登場するこの昂進現象に注目し、それを「エクフォロス」と呼んでいた。エクフォロスとは坂道を走り下るときのように勢いがついて止まらなくなってしまう状態だ。どうにも止まらない、止められない状態、これを一言でどう言うか思いつきにくいが、それがエクフォロスということだ。

コンプリメンタリーの病理性は、硬直性として現れるとワツラウィックは整理する。先生と生徒、親と子、コーチと選手、医者と患者、関白亭主と健気な妻などにおいて、両者の関係は修正がしにくい。閉じた関係は密室化して安定した状態となり、両者の関係は継続してしまう。

これら二つのコミュニケーション・パターン以外の類型は考えにくい。話しかけられて無視するとしても、コミュニケーションをとるまいと反応しないとしても、コミュニケーションをしないという姿勢をとることで、コミュニケーションを行ってしまっている。つまり、コミュニケーションしないことは、二者の間で不可能なのである。この「コミュニケーションしないことの不可能性」ということは、一人の人間の意識の審級においても、思考しないということよりも根源的な事態である。

こういった二者関係を基礎にしたコミュニケーション・パターンは、三者関係になると格段に複雑になるので、検討を避けるが、複雑性を回避するために、単純化が生じるのは予想できる。自分の見解の公表を抑制することで、制御可能性を高めるわけである。

親密性（インティマシー）という共犯関係

恋愛とは、ポジティブ・フィードバックを伴うシンメトリー型相互作用において昂進していく。相思相愛ということであり、ギリシア語では、愛し返し（アンテロース）となり、ラテン語でも、愛し返し（adamatio）という言い方があった。シンメトリー型は、関係をより密接で強固なものにする場合にも、関係を破壊し遮断する方向にも用いられる。「ケンカするほど仲がよい」という言い方があるが、それは相手の態度を鏡像的に反射することで関係の強度が強くなるからである。ケンカをするには、鏡像的に相手の枠組みを受容する必要がある。まったくの共通性がない場合には、ケンカにもならないのである。

問題は関係の断絶ということだ。「気持ち悪い」という言葉は、断絶と拒絶を含んでいる。これは二者関係についてどのような態度をとることなのか。もしシンメトリー型が見られるとすれば、相手から何かを受容していることになり、共通の土台の存在を考える必要がある。しかし、「気持ち悪い」という言葉は拒絶を含んでいるように見える。

ジュリア・クリステヴァ（一九四一〜、ブルガリア出身、フランスの思想家）は、「アブジェクション」を語った。無条件に拒絶されるものを扱う考察である。「気持ち悪い」「生理的に無理」といった表現が用いられる。しかしそういったものは、異国人や他の民族に向けられるときに、暴力性を帯びた排外運動に結びつく。ヘイトスピーチや民族差別の問題だ。

グローバリズムがこれほど進み、アメリカのドラマに見られるように、多様な民族に配慮した登場人物の配役など様々な工夫がなされながらも、心がざわつく。これは、私の心の底に根深く、力強く残っている民族差別の心がどこかにあるのではないか。それに気づいて暗澹（あんたん）たる気持ちになる。民族主義と差別が同根であることを、キリスト教も仏教もあれほど徹底的に説教し続けてきながらも、その心持ちは残り続けている。

表象可能性という領域にこだわるのは、差別や生理的拒絶は、意識の審級において操作できる心的作用ではないと考えるからだ。意識の深層に入り込むことが必要なのだ。

意識の深層、それはオカルティズムやスピリチュアル、精神分析など、迷える人々の心を引き寄せる危険な話題だ。占星術、手相術、人相術、パワースポット、霊場巡り、御朱印帳収集などなど、意識の審級においてであれば理性的な人々も、その一歩でも外に出ると酩酊した酔客のごとき反応に陥る。そして、その酔客の酩酊ぶりを見て、「腹を割って話すことができた」「人となりが分かった」と評価する作法の中に、日本はある。

カール・レーヴィット（一八九七〜一九七三、ドイツの哲学者）は、日本にやってきて、二階建ての哲学様式に驚きを示した。一階には洋風のソファーが置かれていながら、二階には卓袱台が置かれ、昼間は一階で洋風に考え、夕方以降は、すっかり日本的に生活して、その両者を結びつける階段は隠し階段として誰にも見せないでおくのである。私は少し手相占いをする。予想外に様々なことが手相に現れる。そういうことに興味を持つのは、意識の奥底に潜り込むための道がそこにあるかもしれないと思うからだ。

またしても「気持ち悪い」という言葉に戻るのだが、それにこだわりたいのは、一つには『エヴァ』の解釈学を、監督が作品に込めた意図とは別の場所で考えたいからだ。なぜ、『エヴァ』の最後のシーンが、アスカが死んだような表情で「気持ち悪い」というセリフをシンジに向けて終わったのか、いろいろと解釈をすることはできる。

関連本を何冊も読み、キャストとの打ち合わせの様子とか、いろいろ調べて分かったことは増えたのだが、そういう事実的な背景が知りたいのではない。作品としてなぜあのセリフで終わらせたことになってしまうのか、原作者の意図はともかく、必然性の筋道を知りたいのだ。原作者の意図がすべてではないのか、という見方もある。しかし世間に流通し始めた作品はそれ自体独立した生命をもって動き始める。それが文化現象だ。だから、原作者とは独立に、そこに現れているはずの意味、つまりこだわり続ける心の歪みの根源を知りたいのだ。

自分探しが、自己同一性の確立であるのは認めるとして、そこに恋愛や友情を介しても他者との関わりと内在化の契機が必要であるし、そこに他者を受け入れること、他者との融合という側面が見られる。『エヴァ』の中ではATフィールドという心の壁として描かれていた。ATフィールドを乗り越えて浸透してくるもの、それは使徒だったり、霊（レイ）であったり、愛であったり友情であったりする。人類補完計画はすべてのATフィールドを解除して、存在の海を作る計画なのだろう。人類補完計画と自分探しは対立する枠組みなのか。アニメの解読ということではなく、このアニメに人々が夢中になり、見る者のATフィールドを融解浸透するように働いている現象を知りたいのだ。

中世哲学における個体化の議論（詳しくは第四章で説明する）は、二重否定が典型的であるように、他者との分類が前提である。二重否定とは、ATフィールドの中世版である。十三世紀後半にガンのヘンリクス（一二一七頃〜九三）という哲学者が提出したもので、否定性を強調することで個体性の原理を説明しようとした。「多であること」の否定と「他なるものとの同一性」の否定からなっている。

この二重否定が典型的だが、それ以外の個体化の理論も、他者と異なることを説明する原理として個体化を考える。したがって、他者の受容という側面は個体化では論じられない。個体論ではなく、ペルソナ論になると、他なるペルソナとの融合という側面も登場する。父と子と聖霊という三つのペルソナは、本質において同じで一つでありながら、ペルソナ（位格）においては異なるとされる。ここに三位一体論が成立する。三位一体論という合理的理解を絶対的に拒絶する理論を説明したいのではない。そこに共約不可能性(incommensurabilitas)という区別の原理が働きながら、同時に相互浸透(circumincessio)という事柄が語られ、それぞれが相手の内部に浸透している様子が語られていることを確認したいのだ。

ここで三位一体論に立ち入ることはできないが、個体化の原理だけでは、他者との関わりや受容を含む過程を説明しにくいということは確かだ。初めからそういう枠組みを除外しているのだから。

人間世界に話を戻せば、「人格・人間」相互の関係が問題となる。「気持ち悪い」ということで何が否定されているのか。全面的な人格の否定を読み取ることもできる。だからこそ、小学校において「気持ち悪い」と言われたことがイジメとなって不登校になったり、自己の存在感の否定や絶望につながることは分かりやすい道筋だ。

それは単なる攻撃ではない。境界（リミナリティ）をめぐる問題が「気持ち悪さ」にはある。リミナリティとは、身体の周辺部分、髪の毛、体液、排泄物などといった汚穢の領域である。子どもは『うんこドリル』の大ヒットに見られるように排泄物が大好きである。リミナリティは身近な領域なのだ。これを大事にできなければ、十分に清潔な衛生環境を得られない。その際、絶対的な清潔感が求められれば、これまたリミナリティは安全に主体を保護することができない。手を洗いすぎたり、排泄物を完璧に拭き取ろうとしたりするのは、リミナリティを守る文法を十分に獲得できていないということだ。

排泄物はタブーの領域に属することなのだが、それは大事に守られ秘匿され、そして同時に隔離されなければならないからタブーなのである。しかし第一義的には生命の維持安全のために重要な領域であるために保護されるべき場所なのだ。だからこそ、排泄物を代表として、リミナリティは自分の大事な一部として受容されなければならない。この過程で自己への帰属性を確立できなければ、自己同一性は不安定で弱いものになってしまう。

安定した帰属関係が確立した後で、隔離され、否定的に扱われる必要が出てくる。そのために罪悪感が呼び出される。そして、同時に、最も親密な関係にあったはずの両親、特に母親との分離が図られる。性器や排泄器官といったリミナリティの中心的器官は、内在化すると同時に排除されなければならない。一見すると、矛盾するような関わり方を同時に形成することで、禁忌（タブー）の領域が確立する。

〈私〉ということの傷つきやすさ

このリミナリティは、ヴァルネラビリティの領域でもある。ヴァルネラビリティは「受傷性」とも「脆弱性」とも「攻撃誘発性」とも訳される。

文化人類学においては、「攻撃誘発性」と言われる。つまり、ある集団と外部の敵対集団があった場合、集団の周縁部に存在する人々は、集団への帰属が弱くて、排除される傾向にあるということだ。敵対集団に対してよりも、強い攻撃性が向けられる場合もある。内部と外部に分けるモデルでは、内部の周縁部となるところは、隔離作用の中心領域であって、外部排除が激しく現れてしまうということだ。内部と外部の中間にある第三項は排除され、そのことによって外部との隔離が果たされるということである。

今村仁司（ひとし）（一九四二～二〇〇七、哲学者、思想家）は「第三項排除の原理」と呼んだが、内部（味方）でも外部（敵）でもない両義なものが排除されることを述べていた。両義性は憎まれる。両義性が憎まれ排除されることで、内部の同一性が守られるのである。自己同一性が、第三項排除の原理を踏まえているのであれば、自己同一性は、中世哲学における個体化の原理が概念による個体化を問題にしていたのとは異なった論点を含まなければならない。第三項排除の領域とは、両義的なものの領域であり、リミナリティの領域であり、「気持ち悪い」領域なのである。「気持ち悪さ」を制御できるシステムを構成できなければ、安定した自己同一性は獲得できない。

「受傷性」や「脆弱性」と訳される場面も見ておこう。ヴァルネラビリティ（vulnerability）は、vulnusというラテン語を元にしている。vulnusとは「傷」という意味だ。ヴァルネラビリティは傷を受ける可能性、つまり「傷つきやすさ」ということだ。攻撃に対して防御できない、攻められたら内部への侵入を受け入れてしまう受苦の入口である。

古代ギリシアにおいて、人間の理想形態の一つが自足体（アウタルケイア）に置かれたとき、ポリスという国家形態では、不足することを知らない神のあり方がモデルとされたためなのだろう、ヴァルネラビリティを持たないことが理想として目指された。だが、人間とは弱くて、他者に依存することによってしか生存することのできない生き物である。

これを正面から見据える倫理学がやっと出てきた。マッキンタイア（一九二九〜、スコットランド出身の哲学者）は『依存的な理性的動物』（高島和哉訳、法政大学出版局、二〇一八年）を著した。人間の本質として、ヴァルネラビリティを置いたのである。攻撃誘発性の領域であるヴァルネラビリティは、システムの自己同一性を危険にさらす領域であり、したがってそこにおいて制御可能性を持ったメカニズムが構築されればシステムは安定する。ヴァルネラビリティの領域は、システムの最も弱い点であるがゆえに、最も強固な防御メカニズムをも備えなければならない。

インティマシーとは切なくつらいこと

『深夜食堂』（映画）を見ていたら、新潟弁の「切ない」が出てきた。「つらい、苦しい」という意味で。でも、相手を大事に思うあまりの「切」というのは、西洋中世のカリタス（caritas）が、「御大切」と訳されたときの「切」に通じることで、相手への狂おしい思いだ。苦しいこと一般にも使うのだけれど、「切ない」とは、好きで好きでどうしようもないことだ。新海誠の『秒速5センチメートル』を見る。新海監督はこの「切なさ」を描き続ける。激しい切なさも、秒速5センチメートル。「いとおしい」とは切ないことだ。心に思うことによってゆっくり伝わっていく。

リミナリティの内側にインティマシーが作り出される。インティマシーは「切なさ」の領域だ。しかしそれは守られなければならない。「切なさ」「いとおしさ」という内側は、その外皮として鎧（よろい）のような堅い防御壁を持っている。その防護壁に安易に接近するものはその壁に「気持ち悪い」という文字が大書されていることを見出すのだ。

インティマシーというハビトゥスは、リミナリティ（境界）と関連する。インティマシーは内部に招き入れるべき者と招き入れない者、つまり内部と外部、身内とよそ者とを峻別（しゅんべつ）する。リミナリティという境界をめぐる領域は、インティマシーを守るものでもある。リミナリティは、身体においては、プライベートな場所、他人に触れられることを避け、隠されるべき場所なのである。〈私〉の領域は、精神がその境界となるのではなく、身体の中に広がっている。

「気持ち悪い」とはインティマシーに関わるものであり、〈私〉と他者、内部と外部を峻別する記号なのだ。生理的に受け付けない領域とリミナリティとは重なる。インティマシーとはリミナリティの共有ということなのである。インティマシーというハビトゥスを形成し持続する形式が家族という在り方なのである。

長島有里枝（ゆりえ）（一九七三〜）という写真家がいる。彼女は、自分だけでなく、家族をもその裸の姿で写真に収める。その写真は親愛さに満ちている。裸体は扇情的なところや猥雑さを持っていない。

裸体がセクシャルな雰囲気を発揮できるのは、政治的な傾き、征服しようとする欲望を満たすような態勢を備える場合だ。男から女へ、女から男への眼差しで非対称性があるのか断言はできないが、少なくともこれまでの歴史は、裸体を鑑賞する特権的な視線の位置を確保することで、欲望の市場を作り出そうとしてきた。

見る働きと見られる働きは分断され、あくまで一方的な辱めの態勢が形成されてきた。そこに成立する権力関係は、一方的で、非対称的だ。

見ることと違って、接触においては、触れると触れられるは相互的である場合が普通だ。一方が触れるだけであって、他方が逃げ出すこともできず触れられるままであるのは、犯罪に他ならない。

触れることと触れられることは、他者が自分の中にめり込み、そして自分も他者の中に

め り込むことだ。相手を食べて、相手に食べられる経験と言ってもよい。性的結合も典型的にそうだが、同じ食卓を囲んで共食することも食べ物を食べると同時に、人間存在という〈肉〉を食べ合うことだ。メルロ＝ポンティは、こういうことを「キアスム」の関係として捉えた。

「キアスム」とは、交叉（こうさ）配列ということで、予（あらかじ）め統一されているもろもろのまとまりが、差異を与えられ、裏と表のように結びついていくことだ。転換可能性、相互浸透、相互内属とも言い換えられる。図式的に表現すれば、ＡＢＣという順番が次の行でＣＢＡというように、交叉現象が生じる場合、キアスムが生じている。また、ＡがＢの内にあり、同時にＢがＡの内にある場合も、キアスムが生じている。

そして、世界のエレメントとして、〈肉〉を挙げたのは、偶然でもなんでもない。世界は、地水火風という物質的な構成要素ばかりでなく、人間同士が相互にめり込んでしまうような関係からできている。だから、メルロ＝ポンティはそれを〈肉〉と呼んだ。世界という〈肉〉から生み出されてくるものが、〈私〉や〈あなた〉なのだ。庵野秀明の『エヴァンゲリオン』では、地下深く隠されているリリスが、世界が〈肉〉でできていることを暗示していた。

キアスムという肉の相互めり込みは、写真において現れてくる。セルフポートレートは〈見る―見られる〉の権力関係から離れる。ドミナンスから離れた写真を私は見たい。カメラが武器になって、モデルに対して、私が撮ってあげてこそあなたは商品価値を持てるのだという思いをぶつけ、写真家の強制の下でモデルに望まれていない肢体の姿を求めるとき、ドミナンスが如実に現れてしまう。写真は基本的に権力関係の表示であるが、セルフポートレートは異なる。そこでは、見ることの権力性が生じる。

写真に撮られる被写体は、カメラの視線、読者の視線に媚び、誘惑（seduction）を行う。〈肉〉における関係は、壁と障壁を溶解しようとする。「媚びる」ことは権力関係を承認し、それを受容することだ。自分の設定した権力関係は、他者なしには成立しないが、その他者による権力関係の受容を金で成立させるところに、つまり権力関係を金で買うことに「水商売」の本質があるのかもしれない。カメラを通すと権力関係の外部にいられる感じがする。視線の権力関係から離れられるから。同じことはサングラスについても言える。「見る」ことにまつわる権力性は、見る方が姿を隠してしまう場合、権力性を帯びる。のぞき見する者は、自分の姿を隠すことで、相手から攻撃されることを防止している。負けることのない位置に安住することで、見ることを武器として一方的に攻めることができる。

カメラが一種の武器としての側面を持つのは、分かりやすいことだ。

意識は〈肉〉――メルロ＝ポンティが言った意味での――の関係から逃れようとして、自分だけで存在していると思い込もうとする。生命は意識の思惑とは独立に、自分のために存在しているのではなく、別のもの、他のもののために存在している。〈私〉の自己同一性は、鋼の玉のような押されてもつぶれない絶対的同一性ではない。概念としての同一性に見られるような不変性を備えた同一性のはずがない。〈私〉の同一性は、普遍的概念に何か個体化の原理といった硬直したものが付加されて成立するはずがない。

〈私〉の同一性は、壊れやすいものであるがゆえに、同一性なのである。手に入れた途端、崩壊し始める同一性しか、〈私〉を支える同一性たり得ない。しかし、人は求め続けることに疲れ果てて、そしてその同一性を捉え倦ねて、堅くて本物に見える紛い物を手に入れようとしてしまう。〈私〉はどこにもいないからこそ、求め続けられるべきものであり、求められ続ける限りでのみ同一性を維持できる存在なのである。

同一性とは同一性を求め続ける限りにおいて成立している性質であり、それをスピノザは「コナトゥス」と呼んだ。「努力」などと訳されるが、そう訳してしまうと、スピノザがコナトゥスに込めた意味が失われてしまう。コナトゥスとは、無生物であれ生物であれ、自分が今置かれている状態を維持しようとする力だ。物理学で言う慣性ということだ。止まっているものは止まったままでいようとし、動いているものは同じように動き続けようとする。

コナトゥスは、存在と非存在の中間にあるかぎりにおいて存在し続けることのできる性質なのである。生命あるものであれば、生命を続けようとする力であり、いかなる生命個体も滅び死んでいく以上、生物に宿るコナトゥスは、普遍的で一般的で非人称的な衝動なのである。しかし、そのコナトゥスは非人称のままとどまることでは、その力を発揮できず、個体の中に宿ることによって自分の存在を具体化するのだ。そして、この同一性は他者との関係性を含み、関係性はいやおうなしに権力性を巻き込む。自己同一性そのものが自分嫌いを準備しているのだ。

第三章

ハビトゥスとしての〈私〉

自己愛って悪いものじゃない

自己愛やエゴイズムは悪だと道徳の時間に習う。しかし、このエゴイズムは倫理学の基本の中ではイロハのイである。自己愛を持たない者がどうして他者を愛することができるのか。こう書くと暴論を書いているように見えるかもしれない。しかし、アウグスティヌス（三五四～四三〇、キリスト教神学の基礎を築いた大思想家）は『キリスト教の教え』というキリスト教神学の基本書で、隣人愛について述べた後で自己愛の重要性について述べている。

「どのようにして自分を愛したらよいのかを人に教えなければならない。つまり自分のためになるように、いかに自分を大切にしたらよいかを教えるべきである。けれども人が自分を愛し自分のためになることを望むものだということを疑う人がいるとしたら、それは狂気の沙汰である」

（アウグスティヌス「キリスト教の教え」加藤武訳、『アウグスティヌス著作集第6巻』所収、教文館、一九八八年、五五-五六頁）

だから誰でも自分を、自分の体を愛さなくてはならないのだが、その戒(いまし)めは必要ない。というのは本性の鉄則によって、本性が壊れていない限り、自分自身を愛するものであることは、動物にも当てはまるように人間にも当てはまる。神と隣人を愛すべきであるといっても、その際、同時に自分自身への愛が除外されているのではない。これは決定的に重要な論点なのである。自己愛を失った隣人愛は人間に許されたことではない。人間にはできない、それを目指し模倣しようとする者がいるとしても。

倫理学の本は、そして人生論の本は、人生のトリセツでもマニュアルでもない。簡単に答えが分かる本が欲しいから買ったのに、とお嘆きの方には、申し訳ないのだが、人生の生き方をエラソーに語る本はすべてインチキであり、詐欺である、と断言してもよい。人生の生き方に正解などないからこそ、どんな人生でもその先に何が待ち受けているか分からないからこそ、生きてみる価値があるのである。

川を上って産卵するサケが確実に育つ立派な卵を一つだけ産み落とさないのを見ても分かるように、偶然性、すなわち予測の難しい時間に対する捧げものとしての身分を引き受けることが、生命ということの宿題なのだ。必然性や完全な予測可能性や制御可能性は、時間を殺すことなのである。時間を殺してはならない、それが自分を生かすことなのだ。人生は意味や目的に捧げられた供物・生贄(いけにえ)ではない。

ハビトゥス、ハビトゥス、ハビトゥス

〈私〉というのはハビトゥスだと思う。この一語でほとんどの哲学的問題は解決できるとかなり本気で考えている。このことを広く伝えたいと思うほどではないが、私自身は困ると、いつも必ずこの概念のことを考える。ハビトゥス三昧(ざんまい)である。

ハビトゥスという言葉を私はずっと使ってきたが、確かにそれほど馴染みのある概念ではない。社会学者のブルデュー(一九三〇〜二〇〇二)は、このハビトゥスという語をキーワードとして用いていた。

ハビトゥスを「習慣」と訳してしまうと、その意味合いは伝わらない。反復してなされることによって、精神に根付き、それをあまり意識しなくても実行できるようになった能力のことである。初めの内には精神の集中によってなされることが、習熟するにつれて注意を向けなくてもできるようになり、身体に根付き、身体的能力として定着したものである。精神的能力であると同時に身体的能力でもあり、ハビトゥスとして定着している場合

には、身体の方に首座がある場合が多い。水泳やスキーや自転車乗りといった身体的運動も、言葉を話すということもハビトゥスである。規則を意識して実行しなければできなかった行為が簡単にできてしまうことはハビトゥスとして完成している姿である。

哲学もまたハビトゥスである。概念を操作するということは意識を集中しなければできないことのように思われるが、それが現実に適用される場合に、いちいち概念に戻っていては瞬時に過ぎていく出来事に適応できない。哲学もまたハビトゥス化していなければ働くことはできない。ハビトゥス化ということは、身体に根ざすということもできるが、場合によっては潜在意識の中に定着するということもある。倫理学で語られる徳といったものも、道徳的に方向付けられたハビトゥスなのである。この場合は、徳は身体化しているというよりは、潜在意識や記憶に定着していると考えた方が良い。

私は事あるごとに、ハビトゥスと言い続けてきた。いくら使い続けても、周りの人々はためらいがちに小声で使うだけだ。ラテン語であるということが大きな障害になっているのだろう。そして、概念をはみ出す能力を指す概念でもあるので普及することはないのかもしれない。「我が身」という場合の「身」は身体だけを指しているのではない。「身に沁みる」という場合、その「身」は過去の経験とそれらが記憶として定着し、様々な技や知や情念と一緒になって層をなしている構造ではないだろうか。世界と関わることが「身構える」ことであれば、その場合の「身」は習慣化し、世界の出来事に対処する能力を取りまとめた能力であろう。その意味で捉えると、ハビトゥスとは「身」と言い換えてもよい。ハビトゥスは、自転車に乗ることやスポーツのように身体化した能力というのが一番分かりやすいが、言語運用能力や芸術作品の鑑賞もまたハビトゥスなのである。ハビトゥスだからこそ「身に沁みる」ということも可能になってくる。

〈私〉がハビトゥスであるということは、〈私〉の意識の働きを顕在的な意識作用に限定せず、もっと根底的な層にまで広げることでもある。〈私〉とは、思い出せないような深い過去の記憶や、夜になると幽霊や妖怪を闇に見てしまうような想像界――魑魅魍魎（ちみもうりょう）界とでも呼んだ方が良いのだが――を含んだものである。いや、そういった光の当たらないような暗い領域の方が、〈私〉ということの大部分を占めている。

天才井筒俊彦（一九一四～一九九三）はそういった精神の闇の領域を豊かに語った。『意識と本質』はその最も重要な著作だ。そこでは、無分節なる根源的始原として「玄」という始点を準備し、そこからM領域と名付けられた魑魅魍魎に充（み）ちた世界を設定する。この領域はおどろおどろしさによって人の心を摑んで離さない。

魑魅魍魎と深い沼底に咲く花たち

井筒俊彦は彼の父親について次のように記している。東洋的無とでもいうべき雰囲気のきわめて強い家に生まれ育った。家ではすべての時間が眼に見えぬある絶対的なものの日常的実現をめざすべく静かに流れているようであった。父親は非常に複雑な矛盾した性格の人物であった。生活の静けさは、奥深く不気味な暗黒の擾乱(じょうらん)を隠した見せかけの静けさにすぎなかったのである(井筒俊彦『神秘哲学』岩波文庫、一〇頁参照)。

根源的分裂に魂を引き裂かれた人にとって、光明への向上の一歩は、同時に暗黒への没落の一歩でもあった。「マドンナの理想を抱きながらソドムの深淵に没溺(ぼってき)して行く」という父親のイメージから離れることができなかった。そこに井筒の思想的原光景があった。魑魅魍魎の世界に井筒がこだわるのは、父親にその契機を見出していたからでもあるのだろうが、それを自分自身も内部に抱えているからこそ、そこにこだわり続けたのだ。そして、そういった魑魅魍魎の世界を、ロシアの思想的系譜にも、イスラーム思想のスーフィズムにも、仏教の唯識哲学にも、中国の道教思想にも見出したのだ。

底の知れない沼のように、人間の意識は不気味なものだ。それは奇怪なものたちの棲息する世界。その深みに、一体、どんなものがひそみかくれているのか、本当は誰も知らない。そこから突然どんなものが立ち現れてくるか、誰にも予想できない。

（井筒俊彦『意識と本質』岩波文庫、一九九一年、一八〇頁）

こういったイマージュ空間は、世界各地の宗教・思想に見出され、それらの表象様式は相互関係によってよりも、関係を持たぬまま自発的に各地に誘発しあう。イスラームの神秘家スフラワルディー（一一五四～九一）は「形象的相似の世界」と呼んだという。アンリ・コルバン（一九〇三～七八、フランスの哲学者）がそれをラテン語に訳して mundus imaginalis とし、さらにこの imaginalis をそのままフランス語にして imaginal という特殊な形容詞を術語的に設定した。この辺の徹底的なこだわりの楽しさはなかなか伝わってこないが、イマージュが幻や幻想ではなく、現実世界にも精神世界にもリアルに浮遊し、現実を刺し続けていることを反映していると思う。イマージュの刃や言葉の刃は実物以上に人を傷つける。

このイマージュを、ユングの言葉を借りて「元型」と井筒は呼ぶ。元型の典型例がウロボロスだ。二匹の蛇が互いの尻尾をくわえて円をなし、それが世界創造の始原を表現するというウロボロスは世界各地にある。「元型」が因果関係を介さないまま同時に誘発しあうシンクロニシティをユングは大事にしたが、そういった非因果的な世界連関は人々の心を強く摑む。

この元型は一種の普遍者であるが、抽象的な普遍者と違って、人間の実存に深く食い込んだ生々しい普遍者である。人間の精神の中でも暴れまわり、時には外に現れ出て、暴虐の限りや巨大な芸術作品や歴史的出来事をも生み出す。不可視な本源的エネルギーのほとばしる領域がM領域なのである。

意識のM領域こそ「元型」イマージュの本当の住処。まことに奇怪な（と常識には見える）ものどもの住む世界。天使、天女、餓鬼、悪霊、怪物、怪獣どもがこのイマージュ空間を充たす。それらの大部分は表層意識には現われてこないし、また原則的には現われてこないことになっている。たまたま現われれば、幻想になってしまうだけ。このイマージュ空間を、たんに人間意識の一様態とすることに満足しないで、これに実在性、存在論的性格を与える人々にとっては、それは前に述べた mundus imaginalisと呼ばれる一種独特の存在世界である。

（井筒俊彦『意識と本質』岩波文庫、二一八頁）

井筒ほど、人間精神の深奥、最内奥なるゼロポイントから無意識、集合的潜在意識を経て、魑魅魍魎の跋扈（ばっこ）するM領域の圧倒的強大さを豊かに力強く語った者はいない。そういったM領域の表層の被膜が意識であるにすぎない。M領域を司る原理があるとしたら、それは意識でも知性でも理性でも意志でもなく、ハビトゥスとしか考えられない。

情念と欲望の自己崩壊

ハビトゥスは、意識の奥底や身体の働きにも深い影響を及ぼす。よく整えられたハビトゥスは（完全ではないとしても）情念をも制御できる。しかし、時として情念と欲望が自己崩壊してしまう場合がある。自分の欲望と感情は、自分らしさを表現する源泉であるはずなのに、〈私〉を壊してしまうときがある。

義務と強迫は構造的に似ている。義務は「ねばならない」という形をとり、強迫は「せずにいられない」という形式をとる。強迫とは抑えの利かない衝動であり、依存症や中毒とも重なってくる。秩序ある目的連関を逸脱してしまって、欲望―手段・方法―目的のメカニズムが制御装置も停止ボタンも喪失して、自動機械になってしまっている状態なのだ。

この強迫的欲求充足のプロセスを中心的に日常生活が構成されるときには、犯罪に墜落していく病的なものとなっていく。そこには、欲望機械、衝動機械が存在している。そこには主体は存在せず、主体の欲望の契機を構成していたメカニズムだけがガン細胞のように際限なく自己増殖して主体を破壊してしまう。

この強迫的な側面が緩和されて、日常生活の中で破壊をもたらさない限りにおいて生活原理となるとき、「義務」や「勤勉」となる。それが度を越して、「社畜的超過残業労働」や「ブラック労働」となるときには、破壊性を強めてしまう。

中世のキリスト教では、七つの大罪ということが語られた。大罪とはラテン語ではpeccatum mortaleであり、「死すべき罪」ということだ。死に値する大罪なのである。その具体的内実は以下の七つである。

（1）高慢（自分の卓越を目指す、度を越した欲望）

（2）貪欲（人間の生活の中で用いられるものへの過剰な欲望）
（3）嫉妬（自分の卓越を損なう場合に、他者の善を悲しむこと）
（4）大食（食べ物への過剰な欲望）
（5）怒り（目の前にある取り除きにくい悪への感情で、本来は「怒りっぽいこと」）
（6）怠惰（肉体を働かせるために、心を使うことをしたがらなくなる悲しみ）
（7）淫欲（満ち足りることなく、貪るように性的快楽を欲求すること）

こうした欲望は日常的であって、誰もが有するものだ。人間の条件として具（そな）わっている欲望だ。自然本性であり、だからこそ原罪である。これらの欲望を滅却することは、生を止めることであって、死なない限りなくなることはない。ただし、こういった煩悩を滅却するような心持ちで制御しない限り、それらが暴走して、主体であることを止めて、欲望の奴隷、欲望に操られる欲望機械に没落していってしまう。そして、これらの大罪の現代的形態が嗜癖（しへき）（アディクション）であり、アルコール、薬物、ギャンブルなど、様々なものについて社会に広がっている。

誰にでも見られる欲望たちだ。それなのに、死に値する罪とされている、ここでの死は、死後における魂の消滅、天国から排除されて地獄に行くということが考えられている。死刑ということではない。だが、誰もがごく簡単に陥る七つの罪が小罪ではなく、大罪とされている理由は、誰もが陥りやすい罪であるがゆえに、それを制御せよという規則が含まれている。七つの大罪は、〈私〉の秩序を破壊し、修復不可能な状態にするがゆえに、教訓的に教えていると考えることができる。道徳的な脅迫なのではない。

こういった欲望の暴走を制御できるのは、自分が統合されている場合だ。統合を実現するためには、統合を妨げやすい要因を外化して、疎外状態に置き、さらにそれを再び主体の中に取り込む作業が必要だ。

子どものときの調和がとれた世界観が、成長の過程で統合の喪失を経て再統合に至ることは、イモムシが蝶になるために、サナギとなって諸器官の融解と再組織化を経ることと似ている。

欲望的主体の形成過程は、神話的になされる場合もある。しかし、教育が行き届き、生殖も歴史も文化も神話も、公式の知識体系に取り込まれて教授・学習されてしまうと、そういった文化社会の中で言語化され、物語として理解しやすい道筋が提示されなければならない。フロイトの精神分析もそういった欲望発展と性的欲望を取り込んだ自我の再統合モデルの定式化だったと見ることもできる。

思春期に至るまで世界は性的分類とは無縁にある。そういった世界観では、出生と排便は結びつけられる。その時期にとどまる限り、ウンコ大好き時代が続く。その次の時期において、出生と排便が異なっていて、生殖による出生という道筋を知るとき、そして、性の目覚め、性的欲望の萌芽に踏み入るとき、母親と父親という保護機能の基盤、世界の土台としての存在が、性的欲望を持った存在であることに気づき、そして同時に自分もまた性的存在の段階に入り込み、幼児期の主体の統合は失われる。

「穢（けが）れ」が世界に導入されるのである。幼児期では排泄物は仲間としての存在、友達であった。「汚い」ものであっても、絶対的タブーの中にはない。しかし、「穢れ」の世界への導入は、自分の中にも、統合の基盤であった両親の中にも、世界の中にも、世界との関係の中にも、穢れが満ち溢れていることに気づかざるを得ない。

バラバラになった世界を統合する原理とは何か。言うまでもないことだが「愛」なのである。「愛こそはすべて」なのだ。ビートルズが「愛こそはすべて（All you need is love）」と歌ったとき、「お前達に足りないのは愛なんだ、世界には愛が足りない、愛が絶対的原理なのに」と語っていた。愛がすべてを実現するというのではなく、いつも不足のまま求め続けられていて、基本原理であるものが愛なのだ、と言っていたのだろう。言い換えれば、世界は存在する限り、愛が永遠に不足している存在状態のことなのである。その意味で愛こそ永遠のイデアなのだ。そして、私はイデアの姿をハビトゥスに求める。

愛とは何か

愛とは何か。愛とはハビトゥスだ。ハビトゥスを身につけるのに、本を数十冊読んでも意味がない。水泳を身につけるために、本を何冊も読むことと似ている。概念ならば本を読んで分かることができる。ハビトゥスは本を読んでも身につかない。概念ではないから、分かるというようなものではない。音楽を鑑賞し、感動することはどういうことかを、音楽史や楽曲解説の本を読んでも分からないのと同じだ。幸福論をいくら読んでも、幸福が何かを分かることもなく、そして幸福に近づかないのと同じだ。

〈私〉ということもハビトゥスである。人生は何であるか、何をなすべきかは、〈私〉というハビトゥスに咲く花のようなものだ。人生は何であるか、何をなすべきか、人生の意味は何か、という問いにはすべて答えがない。ハビトゥスに対して、「何か」を問うことは意味がないし、意識に現れる場合には答えがないということになる。概念ではないのだから、答えを概念で求めることが、奇妙なことになる。意識に対して答えがないようなものしか、ハビトゥスとして具体化することはできない。

ハビトゥスのままでは方向付けられていないから、善の方に方向付けられなければ、徳とは言えない。ハビトゥスが秩序付けられ、制御され、善や共同体の福祉に方向付けられてこそ徳としての資格を持つのだ。

人生は善とも悪とも決定されていないのだから、「人生は幸福になるためにある」というような言い方を私は憎む。人生は幸福になるためにあるのではない。善や幸福とは空虚な概念なのだ。これらはそれ自体では空虚であり、みんな欲しがっているから自分も求めるというようなものでしかない。他の人間よりちょっと身長が高いとか、地位が上がったとか、給料が高いとか、もてるとか、そういう目先の空虚な事柄に人の心は悩み苦しむ。それらから抜け出すことはできない。煩悩は抜け出せないからこそ、煩悩なのであり、抜け出せない煩悩の中にしか、菩提(ぼだい)や悟りはないという発想は、ずるずるの怠け人間の落とし穴になりがちなのだが、永遠の真理なのである。

人生の意味とは何かという問いに答えがない、ということは答えでも到達点でもなく、出発点でしかない。答えのなさに絶望してしまうのは、一歩も踏み出さないまま、旅を終わりにすることだ。青い鳥は、たとえ外的世界に不在であっても、不在の確認は、不在に意味を与え、輝かせるのである。

ハビトゥスと徳

ハビトゥスはラテン語でなじみがないし、徳となると、高潔な人間が備えている道徳的能力といったイメージが湧く。今では、道徳の時間は、答えがなくて、各人が自由に考えてよい授業時間とされているようだ。道徳や倫理には答えがない、というのが現代において道徳や倫理を学んだ人々の答えであるようだ。正解も不正解もない時限ということだ。確かに他の時限には答えがあって、点数のつく科目があるけれど、道徳や倫理では点数はつかない。

昔は、二宮尊徳（勤勉の権化）や木口小平（きぐちこへい）（「シンデモラッパヲクチカラハナシマセンデシタ」命をかけて職務を遂行した）が備えるべき人間的能力として考えられていた。尊く気高いものと考えられていた。徳とは人間社会において発揮される卓越性のことで、具体的には古代ギリシアで尊重された節制、勇気、知慮、正義の四つと、西洋中世のキリスト教社会で重視された信仰、希望、愛という三つが代表的で、これらを合わせて七元徳と言われた。色々な原理が混在しており、正義が道徳的能力なのかという点も難しい。また、勤勉、誠実、進取の気性などほかの徳も考えられる。特定の共同体の中で評価され、成功することができるための能力が徳と考えてよい。

共同体によって徳の種類は異なってくるし、時代が変われば徳の種類も変わってくる。現実に適用され、善なる結果を生み出す安定した能力が徳と考えてよいだろう。東洋の儒教においては仁・智・忠・信・誠・謙・譲・孝・恕・恭・敬・勇・武・節・剛・強・毅・庸・和・義・聖・礼など、人名に使用されることが多いものを徳として列挙できる。日本人は自分の子どもに徳を備えた人間になってほしいと願って名付けた。

様々な徳の表象は昭和的な世界にはありふれていた。平成以降、キラキラネームが主流になって、徳を表現する名前は激減した。現代はネーミングにおいても徳なき時代となった。古代ギリシアにおいても、中世キリスト教世界でも、日本でも中国でも、徳は常に重視されてきた。近代に入って、西洋でも東洋でも徳の位置は下がったのだ。

その流れに反対したのが、二十世紀後半に登場した徳倫理学（virtue ethics）である。中世までは盛んだったが、近世に入って忘却され、最近になって重要性が再認識されるようになったのである。こういった西欧における傾向の一方で、実は東洋では朱子学や陽明学において盛んに論じられていたことに注目が集まり、やっと中国の朱子学や陽明学の一端が徳倫理学の重要分野として気づかれ始めた段階である。韓国や日本での徳倫理学の流れは、いまだ西欧にはほとんど紹介されていないままである。

倫理学の歴史の流れはここでは余計な話だ。ここで確認すべきなのは、ハビトゥスと徳の関係だ。ハビトゥスは善と悪の方向性を必ずしも持っていない。ハビトゥスは、感情や身体的な運動や言語運用能力など価値的に中立的だが、徳は道徳的善に方向付けられている。

徳はギリシア語でアレテー、ラテン語ではウィルトゥス（virtus、ヴィルトゥスと読んでもよい）。卓越性などと訳される。徳とは要するに、ドミナンス（人を支配すること）の能力のことなのである。徳が及ぶ範囲に、自分の力が支配する支配圏が成立する。人間は、小さいながらその支配圏を作り上げ、守ろうとする。

政治的な支配圏は比較的広範囲に及ぶ。経済的な支配圏を設定することは、経営者としてであれば、広い地域を確保できるが、月給をもらって支配できる世界は、部下を連れての赤提灯（ちょうちん）の世界か、「オレが稼いで食わしてやっているんだ」とイバることのできる家庭の中くらいだ。家庭の中よりも拡げたければ、「すき焼きだったらオレに任せろ、慣れているから」と鍋奉行を引き受けて、支配力を見せつけることもできる。

「女、三界に家なし」と言われる。三界とは、仏教用語で、欲界、色界、無色界、つまり全世界を指すという。幼少のときは親に従い、嫁に行っては夫に従い、老いては子に従うので、世界のどこに行っても身を落ち着ける場所がないということだ。三従とも言う。

この世には支配圏などを持つことができず、また持つことができても持とうとしない人が多数存在する。それでは人の上に立って、指導しようとする覇気のある人間が出てこない、それでは世が乱れると考える者がいるかもしれない。支配圏を持とうとする発想、それこそ「政治的なもの」という人間欲望の形式である。

支配圏とは他者を打ち負かすことの用意であって、他者より優位に立つことができる領域のことだ。人間は「政治的なもの」を本質としているのか。人間は基本的に獣であって、獣が獲物を狙うように、相手を打ち倒すことを本質としているのだろうか。

人間は自分の支配圏（ドミナンスの領域）を拡げるために呪詛を吐く。「コノヤロー」とつぶやきながら道を歩いているオジサンがいた。「バカヤロー」と叫びながらハイヒールを投げつけるオバサンが歩道にいた。ヒバリがさえずりによって「領土」を作るように、彼らも「領土」を作り上げているのだ。狭い範囲、呪詛が届き、呪詛が聞こえる範囲に「領土」ができる。その領土の中で人間は主人だ。小さな小さな支配圏、ゲームの囲碁も同じではないか、それを否定することは、人間の条件を壊してしまう。

徳の一つ一つが発揮される場面は、古代ギリシアにおいては戦場だった。特定の項目において、どちらが優れているか勝負がなされる戦場なのだ。「私はこれだったら絶対に誰にも負けない」という能力、特性が徳の姿だ。勝負が成立するためには、複数の人間における競争が可能な共通の土俵が必要になり、しかしそこにはいくつもの個別的な土俵があって、それぞれにおいて「私は負けない」と主張し、自分の縄張りを主張することができる。個体性の表れ得るフィールドこそ、徳の姿なのである。しかし、死に対して勝利を収めた者はいない。

倫理的徳の一元化を行えば、一元的な序列を構成できる。一元化できる倫理学を構成できれば、それで世界を支配できているという感覚を持つことができる。自分に相応(ふさわ)しい、自分にだけ与えられた徳によって世界を支配できる。政治的権力は必要ない。

読めない記号・呪文を朝から晩まで一日中書き続けることで、世界の創造の神秘と未来とを記していると思うこともできる。手中に紐をしっかりと握りしめ、世界という風船の空気が抜けてしぼんでしまったり、それが破裂したりしないようにして、没落と破滅から世界を救い保護し続けていると思うこともできる。いや、実際に彼は紐を握りしめ続けることで、世界を守り続けているのかもしれない。

私は世界を救うためにある、いや救わないとしても世界を支配しているという思いに囚われてしまうこともあるだろう。

生の中に組み込まれた死の姿

自分探しが様々な姿をとるとしても、何かしら「旅に出る」イメージが近いと思う。冒険のイメージなのだ。自分の知らない世界に出て、そこで新しいものを発見するという構成配置である。西洋中世は、現世の人間を旅人（viator）として表象した。私もそう感じる。

成人儀礼は冒険譚を含んだり、擬死再生を含んだり、身体加工を伴ったり、様々な契機から構成されるわけだが、現世を飛び出て、異界に赴き、再び現世に戻ることで、新しい力を身につけ、大人になったり、自分を見つけるという働きが見られる。

自分探しの旅に行くぐらいだったら「仕事でも探せ」と若者にのたまうマンガがあったが、自分探しというどこに何を探しに行ったらよいのか分からないような旅に出るのは、新しいものを見出し、それまでに持っていなかった力を身につけることを目指しているわけだから、自分探しの抽象性を笑う者は、未来を夢見ることのできない人間であることを示しているだけだ。

小松和彦（一九四七〜、文化人類学者、民俗学者）は、『異人論』（ちくま学芸文庫）の中で、異界と現世、象徴的再生、擬死再生といったモチーフが、日本のおとぎ話の中にどのように見られるかを鮮やかに示した。

パターン1：異界→現世→異界　零落
パターン2：現世→異界→現世　繁栄（擬死再生）

パターン1には、かぐや姫や夕鶴が典型的だ。異界からやってきた来訪者が現世にいる者に富や幸をもたらし、しかし来訪者は異界に戻るしかなくなり、現世での苦労が報われぬまま終わる。

　パターン2には、桃太郎、雀のお宿、浦島太郎などが典型的だ。現世の人間が異界に偶然に足を踏み入れ、そこから戻ってくることで、大きな幸を得るのである。浦島太郎の場合は様々な要素が含まれており、現世に戻ってくることがより大きな幸に結び付いているわけではないが、異界に踏み入れ、戻ってくることは新しい力を得ることになる。この異界を訪問することは、修験道や山岳信仰に取り入れられ、子どもが高山を登るなど危険な行為を経験し、そして必ず死ぬかのごとき危険な場面を乗り越えること、そして現世に戻りいわば生まれ変わることで、新しい力を得ることができると考えられていた。成人儀礼として修験道の山に登るという風習は各地に残っている。

　幸せの青い鳥を探しに出かけたチルチルとミチルが、遠くまで出かけても青い鳥を見つけられなかったのに、自分の家に戻ってきて見つけたという童話があった。初めから青い鳥が家の中に、そして目の前にいても、見つけることはできず、遠くに出かけ、苦労した後でやっと青い鳥を青い鳥として見つけることができるということは、自分探しとも重なる。修験道の山の擬死再生による成人儀礼もまた、外部に出かけて行って、戻ってきて初めて内部において新しい段階に入ることができるということであり、これらはつまり、自分を疎外して、その後で自分に還帰してのみ、自分に出会うことができることを意味している。失われた自分を再び取り戻すことでしか、自分に出会うことはできない。

外部と内部の間の境界は、文化人類学ではリミナリティと呼ばれ、成人儀礼の重要な契機として定着している。外部と内部、〈私〉と他者、生と死、被造物と神など、これらの間には断絶と境界があって、発出と還帰ということが重要になっている。一度死んだ者しか生きることはできないと言ってもよい。

そして、この大いなる外部は、実は自分の中にもあるというのが神秘主義の基本的モチーフなのだ。この内なる外部とは、自分の世界とは思えないほどに理解できない、非合理なる世界であり、怪物や魑魅魍魎や悪魔が住む世界なのである。この自分の内の魑魅魍魎の世界を見出し、それをいかに飼いならす（tame）かが重要なのだ。

魑魅魍魎の現れる夜

人間の言葉から、心の状態を推理できるとは限らない。嘘をついているかもしれないし、拙（つたな）い表現力のせいで事実とずれていることもあろう。寝言となると、そこから心の状態を推し量ることは難しい。なにしろ寝ているのであるから、夢を見ていることは予想できるが、寝言と、そのとき見ている夢との関係は想像しにくい。得てして寝言は訳の分からないものが多いからだ。

ところが、理路整然と寝言を語るのを聴いていると、心の中まで推理したくなる場合もある。私の同居人が、寝言で「不在ということ、新潟と佐賀に住むということ、新潟と佐賀で同じことが成り立つこと」というセリフを並べたときには、驚いて、私はすっかり目が覚めてしまった。矢継ぎ早に時間をおかずに寝言を言っている。もっとセリフはあったのだが、すぐにメモをとるほど目が覚めていなかったので、三つしか覚えていない（私は枕元に常にメモ帳を置いている。とっておきの素晴らしい思いつきが湧き上がることがあるかもしれないので、心配だから置いておくのだ。ただし、メモ帳を置いているという安心感で健やかな眠りには入れるから、メモ帳は睡眠薬の働きをしてくれて、メモ書きとしての役割を果たしてはいない）。

私が考えたのは、脳が記憶の整理をしているのではないかということだ。海馬の特定のところに収納しようとしている記憶に、整理のためのタグを加えて、また引き出すことができるようにしている最中なのだが、そのタグは言語化されていて、そのタグを読み上げて、それが寝言になっているのではないかと思ったのだ。

一秒おきに寝言を言っていたのは、表象が一秒おきに心の中に現れ、それが記憶としてしまい込まれていたからだ。その表象には言語のタグが付されていて、だからこそ意識に連れ戻すことができるようになっているとしたら、それはそれで面白い。きっと、心の中で、それに対応する夢が現れているのだろう。とりとめもない順不同の表象の整理は、意識に映じると無理矢理筋道を作るから、とりとめもない話になるわけだ。

フロイトは『夢判断』で、夢に現れる表象が何を表すシンボルなのかという解釈学を示したが、私は夢のイメージはその日経験した出来事や、整理している間に、その引き出しからこぼれたり、ちらと見えたりした過去の表象が夢に現れているのだと思っている。

脳神経科学の本を読むと、脳の構造の複雑さに驚嘆してしまう。精神において生じる必ずしも合理的なものとは思えないような反応も、生命が辿ってきた歴史を踏まえているのであろうし、脳の構造もまた、数限りない大災害と環境変化と感染症を乗り越えてきた歴史を踏まえたものだと考えれば、理由のあることなのだろうと思う。

もちろん、神経レベルのあの複雑多岐にわたる反応は、人間の意識が言語化したり表象にしたりすることで理解できるようなものとも思えない。理解するという働きも、理解できないような複雑多岐なる機構の上に成り立っているということを知ると、意識は建物の受付のような働きをしているのだろうと思う。出入りしている様子は分かるが、中で何がなされているのか分かりはしないのだ。なぜこんな反応が起こってくるのか、精神の働きが分からない場合が多いのは当然のことなのだ。

眠れないと困ると思うと、眠れなくなる。眠れないのは悪いことだと自分を責めると、ますます眠れなくなる。眠れないことが何かの罰かもしれないと思うと、私は罰に見合う何か悪いことをしたのではないか、と過去を振り返る。眠れない夜が繰り返され、昼間に眠り、夜眠れなくなるという悪循環が起こる。

「自分」ということで、自己同一性を持った実体のようなものを考えたくなる。しかし、「関係は存在に先立つ」という考えがしばしば主張される。「自分」というのは、父親としての自分、大学教授としての自分、市民としての自分というように、様々な役割、「間柄」の結節点として存在している。関係から切り離されて、実体としての「自分」が独立に、客観的に存在しているわけではない。

「自分」というのは、オブジェクトであり、魑魅魍魎の一種なのだ。突然出てきた「オブジェクト」とは何か。「対象、客観」などと訳される。そう訳してしまうと、外界に具体的に存在している事物のように見えてしまう。そうではない。たとえば、虹の色や、朝露や涙を通った太陽の光が放射状に輝くゴーストフレアのようだ。それらは他の人には見えず、見ている人にさえ変化したり、すぐに消え去ったりする。

しかし、オブジェクトは、外的世界に投影すると幻のようであっても、心の中には明確に現象し、それが他者に伝えられ、共有され、具体的なものとして外部に現れてくるものともなる。魑魅魍魎たちもまた、朝の光によって消え去らずに、物体化する道筋があるはずなのだ。私が探り求めているのもこのことなのだ。

第四章

自分探しと
個体化ということ

近代的な「個人」と「個体化の原理」

中世哲学の話題に「個体化の原理」というものがあった。個体も個人も英語にすれば、individualである。このindividualというのは、in（否定）＋divideのことで、分割されることのない社会の構成単位である。一人分として数えてもらえるということを意味する。

現代の民主主義が支配的になる前の時代では、政治は有力者の意向によって決定されていた。男女問わず、一般市民の意向を反映させるようになったのは十九世紀以降のことだ。一人一票分の価値があって、一票以下でも一票以上でもない、という原理は、現代でこそ当たり前だが、二〇〇〇年も遡れば、誰でも一票という考えの方が奇妙に捉えられていたのである。

だれでも一票以下でも一票以上でもないという原則を政治的に定着させるための倫理学の考えがベンサム（一七四八～一八三二）の功利主義だった。誰もが平等だということを理論化するために彼が使用したのが「痛み」だった。「痛み」というのは収入や教育程度や民族や階級を問わず共通であり、倫理の基本的共通基盤になると考えたのだ。快楽主義（ヘドニズム）とよく非難されるが、彼が考えている快楽は苦痛のない状態だったのだ。功利主義は快楽主義ではなかった。そして平等な民主主義を理論的に支える倫理学説だったのだ。

そういった一人一人の存在論的な位置づけを準備したのが、個体＝個人という概念だった。収入や身長体重や衣服や住居に関係なく、同じ地位が与えられる哲学的な枠組みとして個人主義があって、この個人主義が民主主義の基礎となったとされる。

しかし、問題はindividualという言葉は、人間にも動物にも無生物にも使えることだ。机の個体性と人間の個体性が同じはずもないように見えるが、外側から観察すれば、同じようにも考えられるかもしれない。しかし外側から見えるところに、個体化の原理があるのかどうか、すぐに疑問が湧いてくる。

こんなことを書いているのは、西洋中世哲学の重要な問題に「個体化の原理」というのがあるが、この問題が精緻に構成されているように見えて、問題構成に欠落があることを示すためだ。もちろん、問題構成に欠落があっても、そこから近代的な個人概念が現れ、民主主義の基礎付けに役立つことになるのだから評価できるのだが、精緻だからといって、評価しすぎない方がよい。

評価しすぎて敬して遠ざけることになってはいけないし、問題構成そのものに宿っている欠陥を自分の理解力の不足と考えて「ないものねだり」に陥ることも避けるべきなのだ。得てして、哲学に対して人々は「ないものねだり」をしてしまいがちだ。もちろん、大人や親や社会や国家や神にも、ないものねだりばかりしてしまって、願いがかなえられずに逆恨みするのは、重篤な認識欠損症の症状なのである。

個体化ということは、近代的個人概念の起源を考えるうえでも重要な問題だ。しかし、政治思想史を見ても社会思想史を見ても、近代的個人概念の起源を語る際に個体化という哲学的問題に入り込まない。責められるべきではない。面倒な問題なのだ。さらに、近代日本では西欧的な個人概念は定着しなかった、「甘え」などに代表される日本的曖昧さが西欧的な個人概念の定着を妨げた、という舶来主義的言明が何度も繰り返されてきた。

もしかすると、日本語に冠詞のないことが近代的個人概念の成立を困難にした、というのは考えてもよい論点だ。中世を支配したラテン語に冠詞はない。冠詞があれば、一般名とそれが限定された個体の姿は区別できる。近代西欧語が整備されるとき、英語もフランス語もスペイン語もイタリア語もドイツ語もすべて冠詞に関する文法を確立していった。そのことと近代的な個人概念の成立がまったく無関係だったとは考えにくい。冠詞の問題と哲学における個体化の問題はかなり重なるところがある。

そして、哲学における個体化の問題はさらに内面との関わりという論点も持ち込む。哲学における個体化の問題は、人・人格（ペルソナ）の話なのか、物質の話なのか。もし人格の話であるのだとすると、意識が関わってくるかどうかで、話は幾層にも分かれてくる。往々にして一枚岩の問題として論じられるけれど、ミルフィーユのように重なっていて、ぐちゃぐちゃにして論じられがちな問題だと思う。

中世の個体化論は、アリストテレスの哲学をベースにしているから、概念という述語として登場するものを道具にして積み重ねられる。この「概念」や「述語」ということは、素通りしてしまいがちな用語だが、見落とされがちな大事なところを持っている。

「概念」とは、「Xとは何か」と考える場合に、「Xは～である」という場合の「～」に対応するものだ。定義と言ってもよいのだが、「Xは～である」という主語述語形式の中でしかるべき機能を発揮する。この主語述語という形式は、すべての言語に確定的に成立しているものではない。「雨が降る」は、英語で“It rains.”となるが、Itは形式的に主語だが本当の主語ではない。日本語でも「雨」は文法的には主語であるが、「太郎が走る」という場合の主語と同じ働きはしていない。ある特定の事物が確定されていて、それについてある特定の作用や働きや性質が取り出され、それが言語化されたものが、概念であり述語である。個体化はそういう枠組みで整理できるのかが問題となったのだ。

顔を見て誰かが分かるという同定（identify）の場合、概念を使って誰だか判別しているわけではない、という考えも昔からあったのだ。そういう顔を見る場面での個体化ということは脇において、伝統的な個体化論というのを少し眺めてみる。自分探しという哲学的問題がどのように難しくて、どこで人々がつまずいてきたかを見ておくためだ。自分探しは哲学者であろうと偉人であろうとつまずくものなのだ。人生においてどこでつまずくかは各人の生き方を見るしかないが、哲学的に考えてもつまずきの石のありかを知ることは大事だ。賢者の石（philosophers' stone）とは、つまずきの石を除去すること、そういった石が存在しないことを正しく見ることかもしれない。

個体化が越えられない断絶

「ソクラテスはアテネ市民だ」「アテネ市民はギリシア人だ」「ギリシア人は人間だ」「人間は哺乳類だ」「哺乳類は脊椎（せきつい）動物だ」「脊椎動物は物質的事物だ」「物質的事物は存在者だ」と唯一なる個体から梯子（はしご）を上るように、普遍者に至る道筋を考えることができる。逆向きに考えて、存在者から個体に至る道筋が個体化（individuatio）の過程となる。

ここでの問題はいろいろあるが、個体のすぐ上にある一般者の次元を、アテネ市民からもう少し絞り込んで、身長・顔つき・体重といったより個別的なもので限定することはできると考えるところに難点がある。その場合、普遍性の次元から個体性の次元に移行するには、乗り越えがたい決定的な断絶があるのだ。つまり、個体化とは、概念において越えられない境界を越えて成立する。

普遍性を構成する、メンバーとなっているものは常に二つ以上ある。現実になくても二つ以上あり得る。たとえば「猫」という場合、絶滅寸前になってたった一匹しかいなくなっても、「猫」は個体ではなく、普遍である。現実に一つしかないとしても、可能性においては、クローンを作って複数の個体を作り出し得る。普遍性には複数性が含意されている。しかし、個体はただ一つしかないとされる。

二つ以上あり得るものが、一つしかないこと――この唯一性をどうやって獲得できるのか。述語における規定をいくら付け加えても、一つにはならず、常に二つ以上を考えることができる。人間の特徴を髪の毛の一本一本の長さまで限定したとしても、唯一性とは結びつかない。

昔、可能世界論というのが流行した。どこかにパラレルワールドのように別世界が存在しているということではなく、世界を理解するモデルとしての意味論だったから、ＳＦじみたところはなくて、かなり地味な話だった。しかし、どんなに概念的な規定性を付け加えていっても、それは唯一性ということには辿り着かないことを示していた。その意味では壮大な枠組みだったとも言える。

いや、〈今・ここ〉という時間空間性における唯一性こそ、個体性の原理だと考える手もある。〈今・ここ〉が唯一なものであって、それは連続的な軌跡を辿るから、それを追いかけていけば、個体の同定に困ることはない。ＧＰＳの原理と同じである。しかしそれでは、〈私〉に宿る意識の唯一性、〈私〉は世界に一人しかいない、という思いを説明しきれない。そういう〈私〉の唯一性を煩悩、我執として苦しみの源泉として捨て去るべきものと捉えれば、〈私〉の唯一性を求めることをロマンティシズムと軽く見ることはできる。

〈私〉を探す者は、本当の自分がどこかに存在すると思う。魔法の鏡には、他者の心、思いを寄せる相手の心が映ったという。そういうものを知りたいと思う年代もある。成長するとそんなものは知りたくもないと思うようになる。

本当の自分が映る鏡があるとして、それには何が映るのだろう。私の大好きなつげ義春（よしはる）

（一九三七〜）の漫画に『ゲンセンカン主人』という名作がある。大学で留年と落第にまみれながら、練馬のボロアパートで漫画に囲まれて生活していた時、一番の愛読書がつげ義春だった。同じ漫画を何十回も読んでいた。

この漫画は、宿泊客でありながら、宿の女将と夫婦になって、宿屋の主人になった男が、客の自分自身を迎えるという話だ。主人は素顔で客はどんな顔をしているのか。それは鏡に映った自分の素顔を見ることでもあり、ドッペルゲンガーの自分に出会うことでもある。だが客として訪れた自分は面をつけている、それで漫画は終わる。見る自分と見られる自分は常に異なっている。本当の自分の顔はどういうものか、それを鏡に映して見てみたいと思う時は誰にでもある。

いや、我々一人一人がゲンセンカン主人であって、鏡を覗いて自分の顔を見ようとすると、そこには何も映っていないのかもしれない。だから、深夜に鏡を見てはならないのだ。そもそも私たちは〈私〉とは何かを知りたいのか。ギリシア哲学は、デルポイのアポロン神殿に書いてあった「汝自身を知れ」という戒めを出発点の一つにしている。もし〈私〉自身を知るということが、〈私〉の個体性ないし個体性の原理を知ることだとしたら、それは哲学的に乗り越えられない断絶の前で立ち竦み続けるか、または何も映っていない空虚な鏡の前で絶望するか、そのどちらかではないのか。

〈このもの性〉ということ

ヨハネス・ドゥンス・スコトゥス（一二六五頃〜一三〇八頃）の〈このもの性〉ということについて話しておきたい。かなり複雑な理論だが、「自分探し」に応用できるところがあると思うからだ。

私もスコトゥスの「このもの性」という概念に心惹かれて、その内実を知りたいと思った。ライプニッツ（一六四六〜一七一六）という哲学者の研究に私は大学生の頃入り込み、その個人主義の思想に関心を持ち始めた。個体主義の話となると、必ずと言ってよいほど、ドゥンス・スコトゥスの〈このもの性〉に行きつくのである。とはいえ、この思想的系譜に関心を持つ人は多いのだが、ほとんどの人が概念の難解さに弾き飛ばされてしまう。自分探しは概念によって図式化できるほど単純なものではないことを教えてくれる。だが、どうしても気になる。だから、やはりスコトゥスの〈このもの性〉に魅せられたある詩人に触れておきたい。

ジェラード・マンリー・ホプキンズ（一八四四～一八八九）という詩人はドゥンス・スコトゥスの個体化論に出会って、自分の人生の方向修正を行い、プロテスタントからカトリックに改宗してしまったほどだ。

ホプキンズは、イギリス・ヴィクトリア朝の詩人で生前無名であったが、一九三〇年代になってその名声が確立した。ホプキンズはスコトゥスの個体を重視する思想に導かれ、自らの詩論を完成させることができた。一八七二年の夏休みをイギリスとアイルランドの間にあるマン島で過ごし、その間にドゥンス・スコトゥスの思想を発見し、それ以降スコトゥスの〈このもの性〉に強い影響を受けて、思索するようになる。

十九世紀後半の時代において、中世哲学に興味を持つ人は多くはなかった。二十世紀に入るまで、近世以前の中世は暗黒時代と見なされ、啓蒙の光に辿り着いていない時代と考えられていた。カトリックの人々は中世の哲学を大事にしていたが、それでもトマス・アクィナス（一二二五頃～一二七四）を尊重はしても、その関心はトマスを中心としたところにとどまり、それ以外に及ぶことはあまりなかった。ドゥンス・スコトゥスは難解さで有名で「精妙博士」と呼ばれていたが、ちゃんとしたテキストの刊行もなされぬまま、ほとんど見捨てられていた。プロテスタントであったホプキンズがスコトゥスに出会い、強い影響を受けたというのは時代を先駆けていたのである。

彼の一八七九年の「スコトゥスのオックスフォード」という詩には、スコトゥスへの思い入れが強く現れている。ここでは『ホプキンズ詩集』（安田章一郎・緒方登摩訳、春秋社、一九八二年、一五八頁）の訳文を挙げておく。

しかし　ああ！　私が吸いそして吐き出している空気を吸って
彼も生きていたのだ　この野の花や川やこの城壁
それは彼もいつも見ていたもの　その人が私の魂に誰よりも安らぎを与えてくれるのだ

入り組んだ実在の筋を解きほぐしてくれたのはその人
その洞察力は　イタリア　ギリシアを相手にして一歩もひけをとらない
彼こそフランス人の心を燃え立たして汚れなき聖母マリアに向けたのだ

ホプキンズはスコトゥスを、「入り組んだ実在の筋を解きほぐしてくれたのはその人／その洞察力はイタリア、ギリシアを相手にして一歩もひけをとらない」と表現する。「実在の筋」を解きほぐすとは、自分の世界の起源とそこから現れてくる、〈私〉たることの構成を見て取っているということだろう。ホプキンズは、スコトゥスを「自分探し」を教えてくれる先人として捉えているのだ。

ホプキンズはスコトゥスの「このもの性」(haecceitas) に魅惑されて、それをselfとして詩の中に取り込む。このselfは『ホプキンズ詩集』では「個の姿」と訳されている。感じがよく出ている。haecceitasを英語に訳す場合、その直訳であるthisnessを選ぶこともできたのだが、ホプキンズは詩人である。「このもの性」をselfと表現することは、その内実を正しく見抜いている。「このもの性」とは、人格や実体の一部を構成する性質や特質ではなく、全体でしかない。このselfこそ、「自分探し」の一つの原型なのである。

selfが唱(うた)われている詩「人の美しさは何の役に立つのだろう (To what serves Mortal Beauty?)」の一節を見ておく(『ホプキンズ詩集』邦訳二〇四頁)。

世界で一番美しいもの——人間の個の姿です　それは体つきと表情からきらめきでてくるのです。それでは何をすればいいのだろう？　どうすればその美しさにめぐり会えるのだろう？　何も考えずに　ただそれを迎えればよいのだここで登場している「個の姿（self）」こそ、スコトゥスのこのもの性の詩的表現なのである。「このもの性」こそ、世界で一番美しいもの、それを何も考えることなく迎え入れればよいと述べる。

ホプキンズにおいても、〈このもの性〉は、世界に一つだけの花を作り出すオリジナルな独自性の素ではない。人間を構成するいかなる要素も共通なものである。概念規定のうちにあるものはすべて共通なものであり、いくら積み重ねても唯一者は得られない。概念を飛び越えなければ〈私〉に出会うことはできない。

人は「個の姿」というものを、心の中の原子のように、粒のように捉えてしまう。壊れない自己ということだ。自分が相手のことを本当に好きなのか分からないと考えて、本当の自分の心を、自分の中の奥深くに探してしまう。自分が本当に何をしたいのか分からないときに、心の中を奥深く探してしまう。地中の奥深くに宝物が埋まっているように、深く探すと〈私〉がそこに見つかると期待してしまう。

しかし、いくら深く掘っても自分は見つかることはない。遠くに行けば行くほど、本当の自分が見つかるわけではない。苦しめば苦しむほど本当の自分が磨かれるわけでもない。

では、〈私〉はどこにいるのか。

インスタグラムの中に〈私〉はいるのか。人間は広告や宣伝に満ち溢れた巷間を歩みながら、それらに少し心を奪われる。テレビやインスタやfacebookを見て、購買欲求や様々な衝動を募らせる。外形や相貌、光、音、色、そういった感覚刺激に、心を動かされ、揺すぶられ、購買行動に向かう。根底にあるものは何か。

自分探しと個体化

個体化とはどういうことなのか。身の回りにあるものはすべて個体であって、個体とは何かと問うことは、考えてみると奇妙な問い方である。

アリストテレスの論理学の枠組みが典型的なのだが、古代ギリシアにおいて、個体とは何か、個体化とは何か、ということは哲学的議論の枠の外に置かれていた。指で指すことはできるし、目の前で見ることはできるけれど、個体とは何か、と問うことは奇妙に思われていたのである。だから、それが主題化されることもなかった。

中世スコラ哲学における個体化の原理とは何だったのか、興味深いテーマだ。中世においては、個人は軽視され、近世に入って個人が重視され、近代的個人主義が成立したとされるのが普通だからだ。主体性、自己同一性、〈私〉の原理、それらはすべて個体化という問題にすっぽり収まるとは限らないとしても、事柄としてつながっているはずだ。

ともかくも、個人概念は中世に萌（きざ）し始めていた。十三世紀のフランチェスコ（一一八一／八二～一二二六）にその始まりを見る者もいる。ルネサンスの画家ジョット（一二六六頃～一三三七）の人物表現にその端緒を見る者、自画像の発展、一人称での記述などに探る試みがなされてきた。いずれにしても、中世に近代的個人概念の端緒があったことは多くの人が認めることであり、そのこととスコラ哲学における個体化の原理が結びつくと予想するのは当然のことである。

フランチェスコの精神を汲んだヨハネス・ドゥンス・スコトゥスは、個体化の原理として〈このもの性〉を語り、人間一人一人が備える個体性の原理を追求し、小さなものへの眼差しを大事にしたフランチェスコの精神に哲学的表現を与えたと考えることができる。

ホプキンズは、このスコトゥスの〈このもの性〉をselfと訳した。人間の意識と結びつく通路を感じ取り、そしてそのことによって、スコトゥスに近づくために、カトリックに改宗したことは心に留めておいてよい。

個体化の議論が、煩瑣(はんさ)であって、自己同一性、「自分とは何か」とかなり縁遠いところで議論が展開されているように見えても、大事に掘り下げられるべき問題なのだ。もちろんのこと、個体化の原理の奥底に「自分とは何か」ということへの答えが見つけられるべく潜んでいると考えるべきではない。この本全体が、答えのなさを再確認しようとしているのだから。そして「ない」という否定が何を意味しているかを考えたいだけなのだ。

中世哲学における個体化の議論

個体(individuum)とは、「この石」や「この机」もそこに含まれ、本来必ずしも「個人」と同じものではないのだが、個体化の問題は、人間の個性・ペルソナといった問題と連動している。特にその傾向は、ドゥンス・スコトゥスの個体化論には顕著である。

ちょっと話が遡ることになるが、フランチェスコの生涯に触れておく。彼は中部イタリアのアッシジという町の裕福な商人の家に生まれた。アッシジが一二〇二年に近隣の町ペルージャと戦争を行い、その戦いに参加した。アッシジは大敗し、フランチェスコは捕虜となり長くペルージャの牢獄に留め置かれた。父親が身代金を支払い、自由になったあと、一二〇五年にも戦争に参加したが、行軍の途中で啓示を受けアッシジに戻る。朽ち果てたサン・ダミアーノ聖堂を修復し、家財をすべてそれに注ぎこもうとして裁判に引き出される。彼は土地も動産もすべて放棄して、国家の保護も共同体の保護もない放浪者となる。彼はその後の一生を使徒的清貧と巡歴説教に費やした。彼の信仰の一途さに人が集まり、フランチェスコ会としてヨーロッパ各地に支部が出来上がるほどになる。全被造物を神により祝福されたものとして素朴に全身全霊を込めて賛美しようとした彼の姿は、愚直の極致でありながら、多くの人々に響き渡ってきた。

私もまたフランチェスコに憧れて、中世ウンブリア語というラテン語とイタリア語の中間のような方言に触れたくてイタリア語を学び始めたほどだ。フランチェスコが共同体の絆からすべて離れてたった一人で神に向かって歩もうとしたその姿に、近代的個人の発端を見る人は少なくないのである。そして、このフランチェスコ会という托鉢修道会から、ドゥンス・スコトゥス、オッカム(一二八五頃〜一三四七頃)、ロジャー・ベイコン(一二一四頃〜九四)など、近代思想を切り開いた人々が現れたのは偶然のことではないと思われる。

ドゥンス・スコトゥスが属していたフランチェスコ会の源流には、近代的個人の先駆けともなるフランチェスコがいた。そういう伝統の中で、スコトゥスは独自の個体化論を展開し、〈このもの性〉という難解だが、魅力的な枠組みを呈示したのだ。予想以上の分かりにくさを〈このもの性〉は備えているが、個人に備わる特有なものとして個体化の原理を考えた結果、得られたものであるのは確かだ。自分探しの道を神への道として見出したフランチェスコが、現代において自分探しを行う者の手本となるとは限らないが、重要な道しるべにはなると思われる。

個体化の原理の大枠はそれ自体では複雑なものではない。「人間」という種が、「動物」という類を「理性的」という種差が限定することによって定義されるように、「ソクラテス」という個体が、「人間」という種を〈このもの性〉という個体化の原理によって限定することで与えられるという構図である。図式化すれば、種＝類＋種差（種的差異）、個体＝種＋個体化の原理となる。中世哲学では、個体化の原理がいったい何なのかについて様々な議論があった。スコトゥスの整理によると次のように分類される。

スコトゥスは、個体化論を大きく三つに分け、さらに三番目の立場を四つに分け、その四つに分けたものの一つに自分の立場をおいている。「自分探し」ということは、自分の個体化ということもできる。だからかなり面倒な理論が登場するが、ごく表面だけを見ておこう。多くの用語が登場するが、ここではこだわる必要はない。眺めるだけでよい。

（1）実体は自らによって、すなわち自らの本性によって個体（individuum）であり、個物（singularis）である。
（2）実体は、二重否定によって個体である
（3）実体は、肯定的内在的なものによって個体である。
（3a）実体は、その現実態としての現存在（existentia actualis）によって個体である。
（3b）実体は量によって個体・個物である。
（3c）実体は、質料によって個体である。
（3d）実体は、自体的に本性を個別へと限定する何らかの存在性によって個体である。

それぞれについてごく簡単な解説を加えておく。ただし、この程度の説明では具体的な内容は分からない。かなり煩瑣なので、この項の終わりまで抜かして読んでもよい。そして、深入りするとよく分かってくるという世界でもない。中世スコラ哲学というものの特徴なのである。あえて説明する必要もないところと言えなくもないが、哲学的議論がいかに本筋からずれてわき道に入りやすいものかを知ることも重要だと思い、記すことにした。いかに厳密で難解で練り上げられた理論でも、勘所を逃した議論、したがって時代が終わ

ると見向きもされない議論は山ほどある。ただ時代が経つとそこに新しい理論が隠れているのが見つかる場合もある。確かに、無駄なものはこの世界の中に何ひとつとしてないと思う。

話を戻す。（1）が、実体はそれ自体で個体なのだから、他に個体化の原理は必要ないとするものである。個物主義と言ってもよい。オッカムもこの立場であり、ほぼ「唯名論」の立場と言ってもよい。

（2）は二重否定によって、つまり「分割の否定」と「他のものと同一性の否定」という二重否定によって個体が成り立つとするものである。ガンのヘンリクスの立場である。

（3）の立場において、個体化は、否定的なものではなく、実体に内在する肯定的なものによって、成り立つとされる。

肯定的個体化原理論の内、最初のもの（3a）が「現実存在、現実態としての現存在」をそれとするものである。ファルコのペトルス（生没年不詳、十三世紀の神学者）の説であると確認されている。

二番目のもの（3b）は、量によって個体化が成立するとするものであり、フォンテーヌのゴドフレイ（一二五〇以前—一三〇六／〇九年）、アエギディウスのロマヌス（一二四三／四七—

一三一六年）の説とされている。容積や重さや限定された次元によって個体化が成立するという立場であった。

三番目のもの（3c）は、トマス・アクィナスの個体化論であり、指定された質料（materia designata）によって個体化が成立するというものである。時間規定・空間規定によって限定された質料によって、個体化が成立するとするものであり、天使といった非質料的実体には適用できない。

四番目のもの（3d）が、スコトゥスの立場であり、スコトゥスは、個体化の原理として、〈このもの性（haecceitas）〉を挙げる。スコトゥスは、個体化の原理を実に様々な言葉で呼ぶ。「個体的差異」「個体的事象性（realitas individualis）」「個体的存在規定（entitas individualis）」「個体的強度（gradus individualis）」等々。

プロセスとしての個体化

中世哲学の枠組みはあまりにも煩瑣だ。現代に戻ろう。「本当の自分」「自分らしさ」の問題に近づけて、個体化論を捉えるとすれば、二つの類型を取り出すこともできそうだ。

①「今・ここ」という時空規定――トマス・アクィナスの考えは、質料的実体、要するに被造物は、時間・空間において規定された資料（「指定された質料（materia designata）」）によって個体化されるとするものである。

②唯一性――これはガンのヘンリクスが述べた「二重否定」を分かりやすく言い換えたものだ。ちなみに、「二重」というのは、〈内側〉においては一なるものにとどまり、〈外側〉では、他者から区別される、ということである。「かけがえのなさ」と言い換えることもできる。

「唯一性」、「かけがえのなさ」ということは、個体性の原理として有力にも見える。しかしそれだけでは、否定的なものであって、しかも誰にでも共通し、初めから存在しているものだ。もし「個体化」ということが、論理的な問題ではなく、一人一人の人間が自分の個体性を発見し、それを獲得することで、「自分」を作り上げていくものだとすれば、個体化の原理は、各人においてそれぞれ異なり、積極的な規定を有し、生成の過程・プロセスを有するものでなければならない。

もし個体化が、概念が付加されて成立するものであれば、一人一人の人間の個性や個体化の問題とはあまり関係がなくなってくる。一匹の親から幾千と生まれてくる鮭の卵、孵化した稚魚たちは、それぞれ個体であり、もし個体化が概念的なものであれば、卵の時から個体化を完了していると言える。

しかも、ドゥンス・スコトゥスは、『形而上学問題集』の中で、「石の本性はそれ自体で個体なのか、それともある外的なものによって個体であるのか」という問題を論じ、そのなかで〈このもの性（haecceitas）〉という語を用いている。

精神医学者の木村敏（一九三一〜）は、若い頃に発症しやすい精神分裂病（統合失調症）を「個別化の原理の障害」として論じた。個別化というのは、精神において「自分とは何か」ということを突き詰めて獲得されるものではなく、自分の身体のあり方、他者との関わり、家族の中での自分の位置など、様々な関係の網の目の中で完成する。個体化とは、個体に内的なものだけによって成立するわけではなく、外的なものも関わってくる。ドゥンス・スコトゥスの問題設定も、精神分裂病において現れてくる、個別化における病ということと対応するところがあると私は思う。

スコトゥスは、個体化とは濃度、すなわち「赤さ」のようなものだと考える。概念規定の領野に最終的な概念規定が加わって、個体が析出してくるというのではなく、そのような最終的な概念規定は存在しないことを述べたのがスコトゥスの〈このもの性〉ということだ。〈このもの性〉ということも、個体の中に独立して宿っているものというよりも、世界という場面の中で輝きだすもののことだったように思う。

個体化の議論は何だったのか

個体化の原理とは何だったのか。自分探しのモチーフや、近代的個人主義の源流を軽い心で探し出そうとすると、見事に裏切られる。私もそうだったが、絶望の素だ。どこか問題の分岐点で、元々の狙いから逸(そ)れて別の方の道に入ったことに気づかず、曲がったことを知らないまま進んでしまうのだ。

私の見通しでは次のようになる。個体化の問題はアリストテレスの論理学の枠組みでは出てこない。個体は『形而上学』の中で登場し、そして、類と種の関係の定式化を基礎とする論理学においても前提されて語られているが、「個体とは何か」「個体を成立させるもの（個体化の原理）」は論じられなかった。

アリストテレスの体系は、類という一般的なものを種的差異が限定することで、種が成立する、という枠組みを基礎としている。種を個体化の原理によって概念において限定することで個体化が成り立つように見えるが、それが類種関係の論理の延長線上にあるのかどうか、これが問題の焦点である。

アリストテレスは質料形相論を基礎としている。この質料形相論というのは難しいが、個体化論が前提としている枠組みなので、大枠を理解しておく必要がある。まず質料があって、これは無規定的なものと考えられている。それを形相が限定することで現実的なものが成立しているという枠組みである。

木のままであれば木でしかないが、それが切断され板状になり、磨かれ組み合わされ、結合されることで、机やいすになる場合、何ものでもなかった材料としての木が形相（形、規定）を得ることで、具体的な事物に変じると考えるわけである。小麦粉に形相が与えられて、様々なプロセスを経てパンになること、粘土がこねられて彫刻になることを考えても同じである。無規定的で一般的な質料を形相が限定して、その限定が積み重なって具体的な事物にまで至ると考えられているのである。

形相が限定するのであれば、これは個体化の原理にも拡張できるように見える。しかし、大きな問題が出てくる。形相とは、すべて一般的・概念的なものであって、形相を積み重ねていっても、個体には到達しないということである。いくら形相を積み重ねていっても、いかなる形相も複数のものに妥当し、二つ以上存在することが常にあり得るのだ。

形相以外のものを個体化の原理として導入するしかないのだが、それがアリストテレス哲学の延長線上でなされるのか、反アリストテレス的に進むのか、さらに別の道があるのかが問題なのである。忠実にアリストテレスの延長線上で行うことは難しい。

個体より上位の、より一般的なものの領域においては、質料が限定されるもの(determinabile)、形相が限定するもの(determinans)と整理できる。最終的に種を個体へと限定するものは、形相的なものではなく、質料、しかも普通の質料であれば、一般的であるがゆえに、限定された質料(materia designata)であると整理したのが、トマス・アクィナスだった。限定された質料とは、青銅であれ粘土であれ、材料の塊でしかない状態ではなく、特定の時間、特定の場所で、特定の形になって完成した状態の質料である。

形相として事物を成立させる原理は、色、硬さ、肌触り、色つやなどが一般的なものであるが、それが事物としての姿を与えられれば、個体として成立する。日本を離れて作品を創造し続けた画家、田淵安一(やすかず)(一九二二〜二〇〇九)の言葉を使えば、〈かたち〉が〈形〉として定着するのは、限定された質料という物質を姿として纏(まと)うことによってであるということになる(『イデアの結界——西欧的感性のかたち』人文書院、一九九四年)。

トマス・アクィナス以外の立場において、二重否定、現実存在、量などがあったが、それらはアリストテレスの理論に何かを付け加える上で、アリストテレスを補強しようとしたのだ。

さて、問題はスコトゥスの〈このもの性〉だ。一見すると、〈このもの性〉は、形相の一種、究極的な姿であって、アリストテレスの質料形相論を継承したのだと見ることもできないわけではない。スコトゥスは個体化の原理を、質料と形相という対比において、形相の側に置き、この点でトマス・アクィナスが質料の側に置いたのとは対極的であったと整理されてきた。

言葉によって表現される事物の側の序列・構造が、述語として表現され、述語はそれぞれ普遍性＝概念を担うようになっていく。それは、「〜とは何であるか」という問いへの答えとしてあるから、何性（quidditas）とも言われる。何性の序列・系列は、形相の序列・系列でもある。何性は内包と言い換えてもよい。〈このもの性〉は何性の系列に入るのかといえば、入らないというのがスコトゥスの答えだった。

何性の系列は、一般者の系列であって、そこに個体が登場する余地はない。〈このもの性〉は、この何性の系列とは別の次元にある。個体の事象性は、何性的存在規定とは異なる、とスコトゥスは何度も繰り返す。〈このもの性〉は、述語のレベルには登場しない。言葉によってその具体的な内実を語ることはできない。だから〈このもの性〉と語って、それ以上先を語らないのである。直観的認識において、目の前に出会うことで〈このもの性〉を「知る」ことができるのである。

これでは何も語っていないに等しいのではないかと感じる人もいるだろう。〈このもの性〉に何か神秘的で特別なものを見出そうとする者は裏切られたと感じるだろう。しかし、この何もなさは確かな手ごたえを持った何もなさなのである。旅の目的地は旅の道のりそのものであるとき、旅はいつでも辿り終わっている。旅は途上においてであれ、すでに目的地に到着し終わっているのである。

超越概念と個体性

「超絶超越概念（supertranscendentalia）」というものがある。いかにもすごそうな概念だ。そして、これは「自分探しの倫理学」とはまったく関係のない抽象的な概念のように見える。しかし、私にはそうではないように見えるのだ。なぜかといえば、アニメの「セカイ系」

を見たときに、この超絶超越概念や存在概念のことを思い出し、そして超絶超越概念という得体のしれない概念が、現代のアニメとつながっていなければならない、という思いを持つようになったからだ。これは普通の概念を越える特別な概念なのだ。

抽象的な存在概念に溺れることは、イカロスの翼をつけて飛翔するようなことだと思う。いかに抽象的な哲学的思惟を用いても、現実のザラザラとした大地に降りてきて、地面との間の軋轢（あつれき）で肌がヒリヒリする感覚の中でしか、存在は具体化（個体化）し得ないと思う。だから超越概念であり、超絶超越概念なのだ。つまり、超越概念と碇（いかり）シンジの間に呼び合う声があってもよい、と私は思う。

そもそも、「超越概念（transcendentalia）」という困った概念がある。難しそうな概念だが、興味を惹かれて憧れる人は多い。こっちの方が先に知られるべきだ。「超越」という接頭語に縮こまる必要はない。すべてに当てはまる概念のことを超越概念という。事物を分類すると、「カテゴリー・範疇（はんちゅう）」というものになるが、そういう分類を越えたもののことである。つまり、身の回りの事物を超越した特別なものに見えるが、そうではなくて身の回りのものすべてに当てはまるのが超越概念である。具体的には、「事物、存在、真、善、あるもの、一」（Res, Ens, Verum, Bonum, Alquid, Unum）の六つとされる。「美」（Pulchrum）を加えて、七つあると数えることもないわけではないが、ほとんどの場合は六つと数える。

すべてのものは「善」として考えられている。これはキリスト教の創造観を踏まえている。つまり、神の創造したものに悪は含まれていない、ということを前提している。悪はどこに由来するのか、それは常に論じられ続けてきたが、これは被造物の側、特に人間に由来するのである。この論点は後に少し触れることにして、ここでは先に話を進める。

神が創造したものはすべて善であるというのは、十三世紀初頭、カタリ派の善悪二元論に対抗するために理論化された枠組みである。その哲学的裏付けとして、存在は、「事物、真、善、あるもの、一」と互換的である、つまり外延を同じにしているとされたのである。内包、つまり概念の内実は異なっていても、「一なるものは存在である」「善は真である」などと互換的であって、命題において相互に代入しても真のままであるとされたのである。

「超越」というのは、アリストテレスの立てたカテゴリーという分類の枠組み（実体、質、量、関係、場所、時、状態など十個）の上位にくる分類で、あくまでカテゴリーという最上位の分類体系を超越しているので、全部を一まとめにして語る場合が「超越概念」なのだ。存在と重なりあって、しかし概念（内包）においては異なるというのが超越概念の正体だ。そして、概念である以上、「〜とは何か」と問えば、答えがあって理解できるものになっている、というのが哲学のキマリである。

近世に入ると、近世スコラ哲学（第二スコラ哲学とかバロックスコラ哲学といわれる）の中で、「超絶超越概念」というものが考えられるようになる。超越概念はあくまで実在的なものにだけ適用されたが、虚構されたものないし創造されたもの（ficta seu imaginaria）にも当てはまるものが考えられ、それが「超絶超越概念」と言われたのだ。

たとえば、「把握可能なもの、思考可能なもの、記号化可能なもの（apprehensibile, cogitabile, significabile）」などがその例として挙げられた。つまり存在していないものをも考えるようになったのだ。これは画期的なことだ。これまで存在していないものも、これから作り上げることができるかもしれないし、小説や物語やおとぎ話やアニメの世界をも哲学が対象の内に含め、そしてそれらに考察すべき位置づけを与えたのだ。非存在もリアルなものになった。これが近代だ。

そこに、知解可能なもの、信憑（しんぴょう）可能なもの（intelligibile, opinabile）などが加えられる場合もあった。こういったものが増えていくことは同じ路線で思考が進んでいくだけだが、十七世紀に入ると、事物の類推で考えられるような、一なるものと言えるようなものだけが、存在の基本的構成要素であると考えられなくなる。「関係、関数、機能、力」といった目に見えたり、触ったりできないが、リアルに存在するものが存在の基本形になっていった。

〈私〉とは風ではないのか

超越概念は広大悠久な概念だし、超絶超越概念はさらに広大で、人間の理解できないようなものにも及んでいる。理解不可能性は極限的に広大なものである宇宙や、さらに大きなものの方に超越概念と超絶超越概念は方向付けられている。「コスミックな感覚」、言い換えれば「宇宙的な感覚」ということと結びつくようにも思う。宇宙全体に及ぶような果てしない感覚のことである。日常の事細かな雑事に追われ、ストレスがたまると、自然とふれ合いたい、自然に包まれたいと思う人は多い。

満天の星、一面の海原、四方に広がる峰々。心が解放された感じを持つことができる。満天の星の下にいると、星空に包み込まれた感じがして、宇宙と一体化している気持ちになる。ヨハネス・ケプラー（一五七一〜一六三〇、ドイツの天文学者）は、「天界の音楽」ということを語った。星空の動きに見られる規則性は、音楽が表現している秩序（ordo）と重なるものを持っているように思う。

『荘子』のなかに、天籟・地籟・人籟という概念が登場する。「籟」というのは笛のことで、そこから風の吹き通る音を意味するようになった。天にはいつも音が鳴り響き、地もまた音を発し、人間界にも様々な音が満ち溢れている。星空から聞こえる音楽、地の底から響いてくる音、そういった万物が交感することによって生じる音の重なり、それは世界と向き合う場合の欠かせない感覚だと思う。世界の中を風が吹き渉り、音を発している。風は人間の息となって、〈今・ここ〉である人間に宿り、〈私〉という音を作り出している。世界中に広がる音の一つとしての〈私〉はモナドの一つなのだ。

モナド、それは原子でも分子でも粒でもなくて、音のようなものだ。ライプニッツはモナドの一つ一つに個体概念を対応させて説明するが、モナドはやはり概念ではない。宇宙を吹き渉る風が〈今・ここ〉で作っている響きがモナドだ。だから、宇宙は無数のモナドから構成されるもので、それを予定調和によって表現している一つ一つのモナドは、自分自身の内に無限の多様性を備えることであり、したがって自分自身の内に宇宙を宿しているとも考えられる。無限の宇宙を宿すモナドが無限に多くのモナドからなる宇宙全体を表出し、無限が無限を表現し、それが外側にも内側にもどこまでも二枚の鏡が無限に映し合うように際限なく表現し合う姿がそこにはある。モナドが音であるとき、そこにはハーモだ。

ニー〈調和〉が現れる。それが予定調和ということだった。宇宙とは響き続ける交響楽なの

風としての〈私〉のあり方が感情ということに現れる。感情の風向きは一様ではなく、瞬間ごとに変わり、一挙手一投足ごとに、変化を微分的に確認することが必要な人もいる。意識の上での風のざわめきに心を奪われてしまうと、哲学はできない。その下に音もなく滔々(とうとう)と流れるものがある。

口元に浮かぶ歪みが、自分への嘲笑なのか、食べ物の異物のせいなのか、本人のクセなのか。一挙手一投足の内に、次の瞬間殴られるかもしれないという恐怖の中で、心の準備と、殴られても衝撃を和らげる体の構えを準備しながら相手に向かう。

いや、そういった恐怖空間の中に相手を引きずり込んで、自分の言うことを聞かせようとする、安っぽいマインドコントロールにはまってしまった人間は愚かだ。そして、それを大衆に適用すれば、人間を支配できると思い、それを夢見るものは愚かだ。通例、そのような愚かな欲望を持つ者に、知恵は訪れることはなく、知恵を持つ者は愚かな思いに惑わされはしない。だから私には哲人政治というのは、あまりにも恐ろしいものに思われる。概念は制御可能なものだから、支配に用いる道具として適しているし、哲人は概念操作の

達人である。

微分的に世界を感じ取る人々、つまり分裂症に親和的な精神を持つ人々は、微妙な差異を見つけ、それに感応できる人々であり、風向きが絶えず変わる嵐が丘の様な世界に住んでいる。自信が持てない人というのは、「風読みの徒」ということもできる。雰囲気というのも風向きだ。風を読んでばかりいると、自分が無くなってしまう。

〈私〉が風であるというのは、風に流される存在ということではなく、自分が流しつつ流されるもの、自分を流れとして流す力を持っているということだ。風は柔らかにしなやかに、しかし力強く吹くこともできる。

第五章

人生は何のために

「何のため」から逃れる

何事をなすとしても、「何のためにあるのか、何のためにするのか」という議論は、人間の行為が目的に向かってなされるのが普通である以上、いつも話題になる。哲学は何のためか、哲学は何の役に立つのか、そういった議論が飽きもせず繰り返されてきた。

だが「何のため」「役に立つか」というのは、人間の行為を見定めるための一つの指標でしかない。何のためとも言えない、役に立たない行為が重要であるというのはあまりにもありふれたことなのだ。だから、人生を考える場合に、役に立つかどうか、何のためにするのかは大事でありながら、それだけに目を奪われてしまうと視野狭窄(きょうさく)に陥る。「何のため」とか「役に立つ」というのは限定されたものの見方なのだ。

「役に立つ」とは何かを考えるのが哲学の仕事の一つだから、役に立たなくてもそれはどうでもよいと、開き直りたくなる。メタレベルでの考察には、次元を分けて考える必要がある。すべてを一次元的に考える者は、法律を設定することが法律違反となることに矛盾を見出してしまう。すべてを役に立つかどうかで考える者は、世界を平べったい一次元の平面で見てしまう、世界の厚みや奥行きを見失ってしまう。

世界に厚みがあることと、人間の行為が目的に向けられていることに心奪われることは対立している。手段と目的によってビジネスの世界は構成されているが、人生はビジネスではないし、自分探しもまた仕事やビジネスモデルで考えると落とし穴に陥る。

喜びや享受や快楽ということが組み込まれていない人生論は紙の上で展開される人生（ペーパーライフ）のように薄っぺらになる。

フロー（流れ）としての〈私〉

ミハイ・チクセントミハイ（一九三四〜、ハンガリー出身のアメリカの心理学者）は、『フロー体験　喜びの現象学』（今村浩明訳、世界思想社、一九九六年、原著一九九〇年）において、フロー（流れ）ということを重視する。ロジェ・カイヨワ（一九一三〜七八）は彼の遊戯論（『遊びと人間』）の中で、遊戯がいかに人間の生き方において本質をなすのかを鮮やかに示した。

遊戯や遊びは、仕事と対極にある非本来的行為なのではない。仕事はつらく苦しいもので、遊戯や遊びは息抜きの娯楽という二元論もまた人生を単純化している。遊戯は自分の本質を声高に主張しないのか、実存における本質的位置を隠したままでいる。目的論は、目的に至る手段や道具や途中経過を召使のように使いまわし、目的に至るための統制管理下に置き、権力を主張する。遊戯は自らの内に目的を宿しているから命令したりすることはない。目的論は、目的のためにすべてを生贄として捧げようとしがちだ。まじめな顔をして目的への忠誠を強制する目的論は暴力的な存在なのである。

「フロー」とは「流れ」のことだが、曖昧すぎてよい理論化ではない。「フロー」とは、「乗っている」状態のことだ。不可知の力によって弄ばれているのではなく、自分が自分の行為を制御していて、自分の道を決定しているという感じがするとき、私たちの気持ちは高揚し、待ち望んでいた楽しさの感覚が生じる。チクセントミハイは、そういう状態を「最適経験」と呼んでいる。

その状態は、「一つの活動に深く没入しているので他の何ものも問題とならなくなる状態、その経験それ自体が非常に楽しいので、純粋にそれをするというこのために多くの時間や労力を費やすような状態」（チクセントミハイ『フロー体験　喜びの現象学』今村浩明訳、世界思想社）である。「三昧」という言い方があるが、それと同じことだ。チクセントミハイは、身体のフロー、思考のフロー、フローとしての仕事など、人間生活の様々な場面にフローを見出し、それが社会学、文化人類学、哲学的にいかに重要であるのかを解き明かした。

真面目に仕事をしているときが倫理的に価値のある状態であって、遊んでいるとき楽しみを感じているときは、非本来的な状態であると思い込まされてきた。しかし、人間が新しいことを自分の内部に取り込み、変化していくのは、楽しんでいるときなのである。だからこそ、キリスト教においても「享受」ということが重要視されたのである。人間とは目的遂行マシーンにすぎないわけではない。

快楽の中にとどまり続けようとするのは、たとえ快楽が持続的に経験した状態であろうと避けるべきことだが、快楽そのものはそれ自体で価値を有するものである。問題なのは、快楽とはとどまり続けられるべき状態ではなく、乗り越えていかれるべき「峠」のような状態でしかないということだ。

峠を越えてこそ、隣村に行くことができる。峠を目指さない者は峠を越えていくことができず、したがって隣村に行くことはできない。

人間についても同じことが言える。「フロー」という概念は、乗り越えていかれるべき状態ということを示している。快楽という語につきまといがちな罪悪感を喚起しない点においても、重要な言い換えなのだ。

人間の行為は、目標を持つ限りで意図的な行為とされる。「あなたはなぜ歩いているのか」と尋ねられ、「駅に行くためだ」と目的を答えられるときに、「歩きたくなったからだ」と動機を答えられるときに、人は意図的行為を行っているとされる。この問いが人生に適用されると、「あなたはなぜ生きているのか」という問いかけに対して、「〜をするためだ」と概念において答えられるときに、自分の意志で主体的に生きていると見なされる。

そのように尋ねられて迷うことなく答えられる者は、幸福な人だ。哲学書など読まずに自分の仕事に邁進（まいしん）すればよい。人から与えられた生き方をいやいやながら、または喜んで生きている人は与えられた生き方をすればよいだろう。自分で探していて、迷い続ける人がいるとすれば、迷い道においてどうすれば道が見つかるのか、探求する本があってもよい。インスパイア系倫理学書は、「迷わず元気を出して進め」と教えてくれる。

自己をより高い段階に上昇させようとすること、より高い能力、より大きな成功、より充実した生き方、よりすぐれた人格を目指すという、常に向上心を忘れずに努力し続けることが「自己啓発」の姿なのだろう。しかし、人生の生き方は様々であり、どれが正しくて、どれが誤っているということはない。「どれでもよい」というのが正解であっても、人はどれかを選択するしかない。選択する以上、どれかを選ぶだけの理由がなければならないから、択一式試験から一つの選択肢を選ぶように、正しい選択肢を選びだそうとするように、人生の選択肢を選ぼうとしてしまう。

人生の選択肢において、正しい選択肢があるとしても、それは初めから決まっているのではなく、選んだ後で「正しい」選択肢が現れてくる。選んだ選択肢を正しいものにすることが、正しい選択肢の選び方なのである。正しい選択肢を選ぶ場合の重要な点が「フロー」ということなのだ。フローとは、目的として目指されているものというよりは、進んでいる場合、その進み方が正しくなされているのかを示す「目安」であり、船の進行にたとえれば、順風満帆な状態なのである。特定の目的地にしか辿り着けない船は「よい」船ではない。人生が航路であるとすると、特定の港にしか向かえない特定港専用の船は「なぜ」という人生の問いから排除され、「よい」も「悪い」もない船だ。

非目的論の意味

フローとは、楽しい状態のことだ。役に立つかどうかはどうでもよい。チェスのプレーヤーは、チェスに夢中になっているときに呼吸していることに気づかないように、気づかないまま苦もなくなされている動作の状態なのである。自分が一つの流れであることの意識であり、フローの目的は流れ続けることである。クライミングにおいて、目的は頂上に至ることや絶景を望むということではなく、流れの状態を保ち続けることなのだ。クライミングとは、登るということではなく、絶え間ない流れなのだ。この流れを保つために登っているのだ。クライミングにとって、登ることそれ以外に、登ることの理由などない。人生がフローであるとすれば、人生とは生き続けることであり、生き続けること以外に目的はない。

フローとは努力を必要としない簡単な作業ではない。習熟が必要だ。フローに完全に没入できるのは、目標が常に明確で、フィードバックが直接機能する場合だけである。

フローにおいては、自己感覚の喪失と、そして後にはそれが自己感覚の喪失でありながら、喪失という姿においてではなく、より強い、リアルなものとなって現れる。

フローは、「遊び」ということの中で現れる。ロジェ・カイヨワの卓抜たる整理によると、遊びには四種類あるという。（1）アゴーン（競争）、（2）アレア（偶然）、（3）ミミクリー（模倣）、（4）イリンクス（眩暈（めまい））である。アゴーンとはほとんどのスポーツや競技のように、競争を主な特徴とするゲームのことである。いずれも概念を越える行為である。アレアとは、さいころ遊びからビンゴに至るまで、すべての運試しのゲームのことだ。ギャンブルやパチンコや宝くじも含まれる。ミミクリーとは、ダンスや演劇や、芸術一般のように、代理の現実を創る活動のことだ。イリンクスとは、メリーゴーラウンドや絶叫マシーンのように、通常の感覚を攪乱（かくらん）することによって意識を変えてしまう活動のことだ。

人々は、遊びにおいて夢中となり、我を忘れて楽しみ、満足感を得、そしてそれを再び享受したくなる。そのために多くの金銭と労力を費やし、人生そのものまで捧げてしまったりする。遊びとは、フローの典型的な姿であり、自分を忘れてしまう活動なのである。

しかし、フローばかり追求する者は、道楽三昧であり、極楽とんぼであり、快楽追求廃人である。フローは、必ず終極を持っていなければならない。フローとは終わりなき過程の追求であっても、終わりのない過程は呪われるべき存在なのである。終極を持たない生はあってはならない。死を持たない生とは、メデューサによって石にされた者のごときあり方なのである。

祭りは何のためにあるのか

祭り、祝日、祭日はそれ自体が楽しい。何かするから楽しいのではなく、時間そのものが楽しいのだ。旅もそうだ。目的合理性や目的実現から外れて純粋に時間を楽しむことであり、それが「享受」ということなのである。

チクセントミハイの論述を読んでいると、中世神学と基本的に同じことを述べていることが分かって、とても驚いた。チクセントミハイが述べている「フロー」とは、中世神学の「享受」と同じことだ。「フロー」とは、遊びであれ、仕事であれ、芸術であれ、セックスであれ、行為の中で、行為を通じて充足される目的に向けて、それらの行為を成就する条件がそろっていて、その行為を成し遂げている過程において感じられる達成感のことだ。チクセントミハイが回りくどく、長たらしく説明しているけれど、「享受」と同じことだ。中世の神学者が短く分かりにくく神学的に説明していることを、現代的に分かりやすく説明しているのが、チクセントミハイの「フロー」概念である。

享受とは、対象をそれ自体として愛着を向けることである。「それ自体で愛する」というのは、抽象的すぎて分かりにくいが、「三昧」とか「無我夢中」と同じことだ。結果として何が得られるかを考慮することなく、行為そのものに耽溺することだ。

お祭りにおいて、御輿を海に投げ捨てたり、破壊したり、梵天を燃やしたりして、神を粗末に扱っているように見えるものも多いのだが、事物の中に神が宿るのではないから、粗末に扱っているわけではない。祭りの本質は、純粋な享受にあり、それは結果や有用性や利益などといった目的から完全に切り離されて成立するものだ。盛り上がり狂喜しているかぎりで、神は祀られているのである。後片付けやら、祭りの予算や費用を考える者は、祭りから疎外された呪われた者なのである。呪われた者が司らなければ祭りは成立しないのだが。

ディズニーランドは何かするから楽しいのではなく、空間そのものが楽しいのであり、なした行為が楽しい必要はない。旅もそうだ。

「善」ということもそうだ。目的合理性に束縛された価値しか「善」でないとすると、善は秩序付ける概念（ratio ordinans）ではなく、秩序付けられた概念（ratio ordinata）でしかない。秩序付けられた概念は、何ものかに服従し、それに拘束されている。純粋享受の対象は、目的連関から外れて、それ自体で価値を有し、それ自体で享受されるべきものである。

「存在そのもの」(esse ipsum) ということは、その対象の一例である。

〈私〉が空っぽの巣とならないために

何も起こらない毎日はあまりにも退屈で堪えられない。だからこそ、時間を秩序付ける必要が出てくる。一年を秩序付けるためには、祭りが必要なのだ。心は目を引き心を浮き立てるものが現れないと動こうとしない。心は誘惑されなければ動こうとしない。

始まりがあり、進展があり、最高潮に達して、終わりを迎えることは、出来事の必ず通る道筋である。それが、集団の中で、集団全体の出来事として実現される必要がある。

集団の行為(バラバラのままではお互いに作用を消し合って、方向付けられない)を秩序付け、一つの目的へと収斂(しゅうれん)させる。その結果、生産性が生じ、具体化する。バラバラのままでは、個人は不全遂行要員のままである。それをまとめるのが「お祭り」だ。お祭りは、人々を秩序付けるのが目的なので、歴史も由来も意味も必要はない。祭りも日本的な神も、人々の集団的営為の姿なのだ。

時間を意味づけ、満足・充足可能性の形式を付与するというのは、終わりを設定してあげることだ。たとえばロウソクを一〇八本点して、怪談話の終了とともに消して、終えるように。どんぶり飯を三杯食べるのでもよい。カントの三批判書を読み終えるのでもよい。そこに「祭り」という形式の出来事は現れる。

お祭りとは、「フロー」の特質が如実に表れる出来事だ。祭りとは、準備と、起承転結・序破急の形式と、時間と空間の指定と、人間集団の形成と参加による出来事なのだ。内容は空虚であってもよい。集団的充足可能性の形式こそ、「祭り」であり、政治も同じだ。

完成へと向かう形式、時間と労力がかかる方がよい祭りなのだ。功利主義的に構成された祭りはよい祭りではない。芸道は習得に時間がかかるけれど、この時間と労力とお金がかかるということは、「道」としては不可欠であり、お手軽に学べるものは芸道ではなくなってしまう。

宗教は多元的救済システムだ。一元的に合理的に構成された宗教など、宗教としての役割を果たすことはできない。人間がなぜ死ぬのか、明るく楽しく合理的に説明できるのであれば、宗教はいらない。それはそれで「メデタイ」人である。

ロビン・ジョージ・コリングウッド（一八八九〜一九四三、イギリスの哲学者）は、我々は未来に向かって、背中を向けて、後ずさりしながら進むしか方法は与えられていないと述べた。

未来から到来する概念はない。未来に向かう人間の心の眼差しを表して秀逸だと思う。見えない未来だとしても、未来を見据えながら近づいていくしかない。

黒い箱の中に収められ、見ることも、匂いを嗅ぐことも、触れることもできず、情報も与えられていない料理をテーブルの上に出されても、食欲を引き起こすことはできないし、誰も食べたいとは思わない。未来も同じだ。だから見えない未来に向かう心を得るために、現在という時点——瞬間ではなく、持続なのだが——が、反転鏡になるのでなければ、未来は心の中で表象化されない。

その際、過去の出来事は取り返しのつかない、したがって慚愧(ざんき)の対象でしかない事柄としてあるのではなく、いまだ存在していない未来の出来事に向けて投影されて、人間の意志の対象となるべきである。未来と過去は入れ替わるべきなのだ。もし過去と未来が、独立の没交渉の存在であるとしたら、過去は過去としてもはや存在せず、未来は未来としていまだ存在しないものとしてあり続けるだけだ。

スクリプトがあるとしても、それは背中に書いてあるので自分では読めない。未来の人間しか読めない。そして未来から見ることができるのは生きているものではないし、それを希求するものは生命が成立する条件を壊すものなのだろう。

すると、人生のスクリプトは回収されないのである。回収されるようなスクリプトは、悪魔と結託した者が、人間の条件を破ってのみ獲得できることだ。

スクリプト、ちょっとだけ懐かしい気持ちで使ってしまった。一九八〇年代、認知科学が流行している頃、命題の意味はそれ自体で決まるのではなく、場面や出来事の流れといった全体的な状況において決まるというのが主流だった。その場面で頻繁に使用されたのが、スクリプトという用語だった。このスクリプトというのは、普通、映画や放送用に書かれた台本、脚本、原稿のことだ。認知科学の中では、特定の文脈における連続した事象の記述、別の言い方をすれば、手段・段取りと目的を含む一連の出来事の記述なのだ。

プロットと言っても同じかもしれない。使う分野が違うだけだ。プロットは、原因と結果の流れで誰が何をしたのかが示されるが、スクリプトは出来事の流れという側面が含まれ、ちょっとだけ違うような気もするが、ここでこだわるところでもない。スクリプトをつなぎ合わせてこそ、物語、ストーリーが出来上がる。そこを語りたいのだ。〈私〉とはスクリプトの集まりだから。

物語の中で登場人物はスクリプトを担い、だからこそ性格はスクリプトに表れる。スクリプトが小石の山のようなエピソードの集積でないとすれば、スクリプトは回収されるべきだ。もちろん、具体的な一人一人の人生がスクリプトを持っているわけでなく、回収されないまま、突然の事故で死んでいくことが起きるのも事実なのだが。

スクリプトの回収において、それは功利性の原理で構成されるとは限らない。経済合理性や勤勉の倫理がスクリプトの構成原理とは限らない。

落語も小さなスクリプトの集まりである。熊さん、八っつぁん、ご隠居、与太郎など、学習することもなく、進歩もない人々の話が何度も繰り返される。同じ話なのに、同じ落語家が同じように演じてもいつも新しい。なぜか。

スクリプトの構成要素として出来事ばかりでなく、人間の内面、たとえば人情や感情が含まれる。

寅(とら)さんの映画(『男はつらいよ』)は、スクリプトの集成だ。しかし、義理や人情はそのままの形ではスクリプトに入りにくい。「義理を欠く」とか「義理深い」というのは、スクリプトの構成要素なのだろう。美空ひばりの節回しのように、どんな歌を歌っても入り込むような随伴性・付随物なのだ。

付随物の方に心が奪われてしまうことが起きる。言い方が気に入らない、反省の色が見えない、目つきがイヤだなどという。それらは本質に含まれていないのに、スクリプトに入り込んでいるために、絶対に譲ることができない特徴になっている。フーテンの寅さんが三つ揃いを着ることはあり得ない。ダボシャツを着ておらず腹巻きも巻いていない寅さんは寅さんではない。

スクリプトを制御できることは、スクリプトにうまく反応できることではない。それを作ることができる人だ。文章を書きながら、絶えず新しいスクリプトを作れる人が作家だ。生まれたときに自分の物語が出来上がっている人は、何も自分で決めなくても、出来上がった物語に乗っかって考えずに生きられる人になれる。

「やりたいことをどうやって見つける？」って、質問が逆立ちしている。やりたいことがないって、死ぬ準備（終活）じゃなかったっけ。でも、「やりたいこと」ってどう現れてくるのか、どんな顔をしているのか、どう育てたらいいのか、教わらないと「やりたいこと」

を破壊し続けることになる。既製品としての目的論的思考によって、精神がその芯のところまで化石化して硬直してしまうと、目的が外から誰かから与えられないと体が動かなくなってしまう。

「勉強しなさい、早く起きなさい、ご飯を食べなさい、学校に入りなさい、就職しなさい、働きなさい、お金を稼ぎなさい、結婚しなさい」などなど、なぜ人は命令ばかりするのか。人間が自動機械であって、プログラミングしなくても、命令を与えなくても、コマンドを出さなくても動く存在であることを忘れているようだ。そして、やる気が起きないから動けない、誰からも指示されなかった、誰も教えてくれなかったと、目的論的強制の不在を呪いのように捉えてしまう。自分でやりたいことを、他者から与えられるのを待ってしまう心を育てることが、現代人は得意になってしまった。

他人から押しつけられた夢しか見られない者は、自分で夢を作ることはできない。「自分のやりたいことをしなさい」と正当な権利を持って主張できるのは、自分で自分の夢を構成することに成功した者だけである。

やりたいことは、心を軽くして、浮き立たせ、しかし一方で不安と切なさを生む。心に気持ち良い風が吹いてきたら、その先に「やりたいこと」や「夢」がある。風を感じること、それが大事なのだ。

祝福される人生

祝福、なんか日本語らしくない。ちょっとバタ臭い。ラテン語で言えばbenedictio（ベネディクチオ）だ。なぜラテン語が出てくるのか。私の思考が何割かラテン語化されているからだ。日本語はとても難しい。一つ一つの言葉が揺れ動いていて、古代から江戸時代、明治時代、昭和時代、平成・令和時代、いつも基準もなく変動しまくり、ウナギのようにつかみどころがないからだ。私は哲学をしているとき、いつもラテン語をベースにして考える。その方がずっと考えやすい。日本語は哲学をするのに、二度手間、三度手間の翻訳をする必要がある。

そんな話ではない。話が逸れた。「祝福」ということだ。ベネディクチオとは、「誉める、聖別する」ということだ。英語ではblessだ。くしゃみをすると、bless youと返してくれる。「お大事に」と訳される。ベネディクチオもblessも相手にとって、善いことが起きることを願い、それを言葉に表して、相手にとって善を願う気持ちと、その出来（しゅったい）を祈願する言葉だ。年老いたものが、幼子たちの笑顔を見るときに、祝福の気持ちにおいて口に出したくなる心のあり方がベネディクチオである。「善き存在よ、汝にあれ！」と訳したくなる。

太陽の光を祝福の光と感じられるのか。太陽の光が自分に届くとき、自分は認められているのだ、自分の存在は承認されているのだ、と感じられるかどうかは、その人の人生観を大きく左右する。

いつも私はこういうことを考えている。現代哲学は難しくなる一方で、自分探しというテーマをゴミ箱に捨ててしまっているのではないかと。二十世紀になってから、現象学に代表される哲学潮流は、概念による認識の可能性の条件ということを考えることが多くなった。そして、認識が準備され、そのうえで自ずから成立してくる事態を、受動的総合とか中動態などといった言葉で考えてきた。

「受動的総合」を詳しく説明すると膨大な枚数が必要になるが、この概念を自分の哲学の中心概念にしたドゥルーズは、主著にして代表作たる『差異と反復』において、時計の音で説明している。時計の音が「チック、チック、チック」とバラバラに聞こえているのが、「チックタック」と結びつきにふと気づくようになったときが受動的総合だという。自分の考えで能動的に結びつけようとしたのでなく、自ずから音と音が結びつくこと、それが受動的総合である。

中動態については、能動と受動の中間ということでここでは済ませておく。「能動的になす」「受動的に作用を被る」の中間に、「自ずと生じてくる」場面を設定して現れるのが中動態だ。ハビトゥスも中動態の一つだ。受動的総合という話題とも場面が重なる。

ともかくも、能動的理性的な作用ばかりではなく、受動的な側面にも注目が集まるようになった。だが、なかなか論じにくいためなのか、哲学的話題の主流は、理性が自己決定をして、意識的な選択によって、自律的に独立的に行為を発動する姿の方であり続けた。理想的行為形態を考えられたからだろう。しかし、感情にしろ愛情にしろ、意識の根底にある魑魅魍魎界に起源を有し、それらに支えられていなければ理性も知性も薄く弱くはかなく脆い。すぐに溶けて崩れ去り、自己崩壊していく。魑魅魍魎に支えられていない光は幻でしかない。

祝福とは、存在に初めから組み込まれている現成、いや自己現成ということの姿に対する心寄せなのである。そのためには、哲学の基本的枠組みを変えた方がいいといつも思う。

哲学の概念には、必ず（1）コンテンツ（内実）、（2）格納される場所（アドレス）、（3）概念を検索し、交通させる方法と手続き（プロシージャー）が必要だ。（2）と（3）を重視するのが、ハビトゥスと身体化という論点だ。そしてそれらの三点が知性、記憶、意志という三位一体に不思議に対応する。

哲学ではこのアドレスという契機が徹底的に軽視されてきた。記憶術の中では、場所ということが重視された。記憶を格納し、貼り付けるものとして場所が大事にされた。この場所ということは、記憶という問題を考える場合に決定的に大事である。記憶の中では距離・隔たりということが重要だ。大きな距離にあるものは、手続きにおいて手間と労力が必要になってくる。そのとき、精神は汗をかき、疲れ、喘（あえ）ぐ。近代以降の哲学は、天使のように人間精神を考えてしまい、汗をかき、疲労し、すぐに喘ぐものとしての人間精神ということを考えてこなかった。

〈私〉の物語と幸福の関係

人生の目的について、その充足条件を整えることが徳であるとされる。だが、対象を見出し、その関数にしかるべき変数を入力すること、関数を充足するのは偶有的なことだ。

ジョー・ブスケ（一八九七〜一九五〇、フランスの詩人）は「私は傷を受けるために生まれてきた」と語る。彼は第一次世界大戦での戦傷で半身不随となり、死に至るまでベッドに横たわりながら執筆した。

戦争で受けた傷について、それを恨んだり呪ったりするのではなく、「傷にふさわしい者」になることをめざし、傷をつけた出来事を意欲することが彼の経験の企てだった。

ブスケは、「私の傷は私よりも前に実在していた。私は傷を受肉するために生まれた」と記した。正確に述べれば、この言葉はブスケ自身の言葉ではなく、彼に成り代わって書いた人物の言葉だ。ブスケは多くの文学者、思想家に影響を及ぼした。先の言葉は、ドゥルーズがブスケの言葉として紹介して有名になった。この言葉は多くの人にとても深い印象を残した。私の心にも深く刻み込まれた。

ブスケは、傷を呪うのではなく、それどころか、傷にふさわしい人間になろうとする。傷が先にあって、その後に、〈私〉が生まれたというのだ。「傷」を呪うのではなく、傷に捧げられる賛歌を歌う。

幸福は人生の目的ではない。そして真善美も究極目的ではない。哲学や倫理学は、真善美といったものを究極目標として設定して、それに接近するための方法として自らの存在意義を示そうとしてきた。誰でも真や善や美を求めるわけで、「なぜあなたはXをしているのですか」と問われ、真善美のいずれかを答えれば、とりあえずの答えとしての条件を満たしている。

だからこそ、「あなたは何を求めて生きていますか」という問いにおいて、「幸福を求めていますか」というイエス・ノーの二択を出して、「幸福」を選ぶ人が多いことを見越した某宗教のアンケートがあった。山内青年は「ノー」を選んだ。相手は「あなたは本気ですか」と気色ばんで尋ねてきた。それと同じように、人生の目標を「真善美」と答えておけば無難であるし、「幸福、社会への貢献、人類の福祉、家族の幸福」などなど、それらしいものを答えておけばよい。私はそういう既製品の答えに嫌悪感を覚えていた。

既製品の答えは、結局のところ、社会的に恵まれている人々が、自分の生き方を正当化するために考え出しているだけではないのかと感じていたからだ。

快は指標であり、目的ではない。快楽主義者は目的と指標を取り違えている。おいしさや美は指標なのであり、だからこそ反省的判断力が働きを有する。目的と指標はあまりにも容易に取り違えられる。美や快も指標なのだ。美や快が目的であれば、多様性は必要ない。人間は鮭やトンボと同じように同じ顔をして、同じものを求めていればよい。

自分探しとは、出会ったこともない自分とどこか見知らぬ街でばったり出会うようなことではない。自分探しをしていて、自分を見つけたとしても、それはいつもよく出会っている自分でしかない。バラバラになってしまって、自分で自分を見分けられないからかもしれない。とすると、自分探しとは自分の再統合ということになる。

足もとに崩れ落ちている自分を拾い集めて、それを組み立てなおすしかない。フランケンシュタイン博士は、死体から様々な臓器を取りだして、つなぎ合わせて人造人間を造った。我々もまた、瞬間ごとに崩れ落ちていく自分を拾い集めて、ベタベタと顔や体に貼り付けているだけなのだ。その意味では、自分はここには存在せず、失われてしまった自分を再現するかのごとく、いつも自分探しをし続けなければならない。「自分は自分だ」と自信を持って言える人はよい。退場してもらうしかない。

社会的役割を与えられ、安定した職業の中にあれば、それを中心として自分を統合することは難しくない。もちろん、離職したり仕事を失ったりすると、統合もまた崩壊していってしまう。

単一目的実現型の人間は統合が楽だ。自分は何のために生きているのか、自分は何をしたらよいのか、モデルを作りやすい。スーツの型紙を人に作ってもらって、それに合わせて服地を切りとり、縫い上げる技術は必要であっても、与えられた型紙に合わせて服を作ることは実現可能な道筋を備えている。人生もまた、模範となるような人生の型紙があって、それに合わせて生きればよいのであれば、困難としても実現可能な道筋だ。

昔、小学校のとき教室に偉人伝の絵本がたくさん並んでいた。こういう偉い人になりましょうと教わった。野口英世、ナイチンゲール、フランクリン、ガンジー、二宮尊徳。何しろ、私の学校の周りには山と川と樹々と動物しか存在していなかったから。たくさんの人間を東京への修学旅行で見かけたとき、これが「社会」というものかと初めて認識した。過疎の山奥では、人間は数えるほどしかいない。ウサギやリスの方が多い世界なのだ。

「偉い人」になりなさい、「末は博士か大臣か」という言葉も習った。「故郷に錦を飾る」という言葉を習っても、「錦」とは何か、実物も比喩的意味も分からないまま、相撲で優勝して、地元で優勝パレードをするようなことだろうと思っていた。

関係の結び目としての〈私〉

自己分析をして、自分の過去を振り返り、何もしてこなかった自分を見つけ、意気消沈してしまうこと、それはよくある。過去に戻りたい、そう思う。〈私〉への絆を探し求めてしまうのだ。絆が見つからないと、根無し草となって、浮草のように世界の表面を漂い続けるだけだ。

〈私〉が〈私〉であるための必要十分条件とは何か。欲望が欲望としての機能を満たすための十分条件とは何か。欲望とは単純なものではない。生理的なものとしてではなく、人間的な欲望として考えた場合にはどうなるのか。欲望とは充足されるために存在しているとは限らない。

〈私〉が考えるとき、〈私〉が思考作用を行うときに、そこに〈私〉は立ち現れない。〈私〉とは実体ではない。実体であれば、同一性を持つだろう。しかし、同一性はあるのか。デカルトは、〈私〉ということを思惟実体として位置づけ、ロック（一六三二〜一七〇四、イギリスの哲学者）は、記憶が自己同一性を構成すると考えた。そういった同一性も確固たるものではない。意識や思惟は常に存在するわけでもなく、脳の状態や身体状態によって左右され、残り続けるものはわずかだ。他者との関係において捉えれば、交友関係、社交関係において、人は他者に左右され、心もまた激しく揺れ動く。

サン＝テグジュペリ（一九〇〇～四四、フランスの作家、軍のパイロットとしても活躍）は敵地への夜間偵察飛行のさなか、いくつもの曳光弾（えいこうだん）に機体を照らし出され、高射砲の砲弾が至近距離で爆発し、その「衝撃が休みなく期待を揺さぶる状態」の中で、自分の最期について思いを巡らせる。

試練というものは肉体に対する試練だと考えていた。人は自分の肉体について、これが私だと言う。しかし突然その幻想が崩れ去る。怒りが少しばかり激しくなったり、愛情が昂揚したり憎しみがわだかまったりすると、肉体との連帯関係にひびがはいる。

自分の息子が火災に巻き込まれたらどうするのだ。肉体という着古した衣など、喜んで差し出す。

自分とはなにか？　それは敵の死だ。自分とはなにか？　それは息子の救出だ。なにかと交換に自分を差し出すのだ。しかもその交換で損をしたと感じることはない。己の手足とはなにか？　ただの道具だ。敵に切りかかるときには、道具が壊れることなど気にもとめない。そして自分と交換に、相手の死を、息子の救出を、病人の治療を、もし自分が発明家であれば新たな発明を手に入れるのだ。（中略）あるいは子供の救出、病人の治療、敵の死、新たな発見だけなのだ！　そのとき、自分という存在の意味が燦然と輝く。その意味とは、義務であり、憎しみであり、愛であり、誠実さであり、発明である。それ以外のものはもう自分のなかに見出せない。

（サン＝テグジュペリ『戦う操縦士』鈴木雅生訳、光文社古典新訳文庫、二〇一八年、二〇七～八頁）

戦争のさなか、敵の顔も見えないまま、何と戦っているのかも分からないまま、敵を倒していかなければならない。その限界状況の中で自分とは何かを考え、人間とは何かを考える。

人は死ぬのではない。これまでずっと死を怖れていると思いこんできた。しかし実際に怖れているのは不測の事態、爆発だ。自分自身を怖れているのだ。死は？　いや、怖れていない。死に出くわすときには、もはや死は存在していないのだ。（中略）肉体が崩れ去ると、本当に大切なものがあらわれてくる。人間はさまざまな関係の結び目だ。関係だけが人間にとって重要なのだ。

（同上、二一一頁）

人間とは関係の結び目なのだ。自分とは何か、〈私〉とは何か、一つそれだけを取り出してしまうと、玉ねぎの皮をむいていって最後に何も残らないように、空っぽの空虚な芯だけが残る。概念の皮を一枚一枚むいていけば無に辿り着くだけだ。〈私〉がいくら考えても、〈私〉とは空っぽの空虚な芯でしかない。関係の結び目としてのみ、受肉することができる。

自分らしさということ

徳とは卓越性だと考えられていた。古代ギリシアにおいては特にその傾向が強く見られた。社会的に成功を収めるための特別な能力であり、他者に打ち勝つための能力であり、その徳を教える者達が「ソフィスト」としてギリシアでは重要視されたのである。

政治的場面では巧みに言説を操作し、司り、人々を動かす言辞を構成できる能力が求められ、それを教える者が「ソフィスト」と称された。現在では、テレビなどのメディアに流されるCMを作るような能力が盛んに売り出されたのである。

徳とは卓越性であるがゆえに、職業によってその求められる能力は異なる。兵士には兵士の徳があり、農民には農民の徳があり、政治家には政治家の徳がある。プラトン派は、人間の三分類と魂の三分割を対応させ、政治家／兵士／農民、知性／意志／欲望、知慮／剛毅／節制という三項がそれぞれ対応するという枠組みで考えた。知慮／剛毅／節制という三つの徳が主要なものとされ、それらの三者を統合するものとして正義が提出された。

そういった社会論、霊魂論との関係を含めた総合的な知の体系としてではなく、社会的成功への手がかりが求められ、それこそが徳と見なされ、それを教えるものがソフィストだったのである。

一人の人間として自立して、強い力を有し、他者を打ち負かす人間が理想像とされていた。身体の訓練にしても、知的能力の涵養（かんよう）にしても、資力が必要であり、それを実現できるのは社会の上層に属する人だけであった。ところが、キリスト教の成立によって、新しい倫理学の枠組みが登場した。一般庶民は貧しい人や弱い人であり、それまでの倫理学や宗教においては、現世での成功も来世での救済も、社会的支配層のためにあったと言ってよい。しかし、キリスト教は、一般庶民のための宗教であることを明確に打ち出した。ギリシア的な徳概念、そしてその徳概念を基礎とした倫理学とは異なる枠組みが広がっていった。

中世のキリスト教倫理において、信仰・希望・愛が対神徳とされたとき、あまりにも宗教拘束的であって、その一般的意義は伝わりにくくなってしまったが、卓越性とは違う方向性に徳が整備されていったということは見逃されてはならない。

人間関係の基本として、ドミナンス（支配関係）の確立を目指すものがある。政治学とはドミナンスの分析とそれを具体化するための学問である。合意形成という言葉もあるが、これもまた、自分の意思を共同体の中でどのように普及させていくのかを探求することだから、ドミナンスの技術論（technologia）と考えることができる。

ねじれた心で哲学を

生きることの手前に生きることが準備されていること。岸見一郎・古賀史健『嫌われる勇気』（ダイヤモンド社、二〇一三年）は、インスパイア系倫理学として古典の位置を占めている。「上から目線の倫理学」、倫理の模範を示して「皆さん、立派な人間になりましょう、幸せになれますよ」という倫理学への反発としてとても大きな役割を持っていた。「嫌われる勇気」という概念は、オルターナティブ倫理学として重要な機能を有していた。しかし、それもまた「自己啓発してインスパイアする」という構図を持つようになると、理論もまた、理論が実践される制度の中で疲労してしまう。理論（真理）がそれ自体でいかに普遍的であろうと、理論が実践される制度は疲労していく。したがって、理論そのものもまた疲労していくように現象してしまうのである。真理もまた疲労する。

〈私〉ということは姿をなかなか見せようとしない。真理も幸福も姿を見せようとしない。だからそんなものはない、そんなものはいらないと言いたくなる。哲学的問題は何かがねじれているのだ。ねじれた事態をねじれた心は欲しがる。似たものは似たものにという原理だ。ねじれた心はねじれた哲学をほしがる。私の心はスコラ哲学を欲した。

私はいつも一つの同じことを考えている。だからいろいろなことが書いてあって分かりにくいと言われるととてもショックだ。私はいつもとても単純なこと、同じことを繰り返しているだけだ。私はあらすじも論理もほしくはない。生きていくために仕方なくそういうものも使ってしまう。

西洋中世のスコラ哲学の中でも、ドゥンス・スコトゥスの存在の一義性という発想につまずいた。存在がすべてのものに同じ意味で述語づけられる、ということだが当たり前すぎて何を言いたいのか分からなかった。アリストテレスにおいては、存在は様々な意味で語られるという前提があったし、トマス・アクィナスにおいては、存在はアナロギア的（後述）に語られるという考えもあったから、存在は一義的だという発想は、現代から見ると当たり前すぎて興味が湧きにくいが、一義性が語られた十三世紀末においては際立った主張だったということが分かる。

乱暴に語ってしまえば、アリストテレスが存在は多義的だと述べるとき、つぎのような見通しに立っていた。当時のギリシアの思想において、存在という概念が哲学の中心になっているのでもなく、様々な概念が中心を占めるかのごとく語られていて、そういった状況の中で、存在や実体概念を基礎として哲学を打ち立てようとした。その際、存在や事態という概念が実に多様に使われていて、それを交通整理して、共通の知の空間を作ろうとする試みの中で「存在は様々に語られる」と主張したのだ。

存在は多義的であるとアリストテレスが考えていたというよりも、当時の思想状況を記述していた。そのうえで、存在概念の中心を定める作業の中で、実体（ウーシア）を設定し、それが唯一の中心に集約されるかを検討していった。師匠であるプラトンの思想を踏まえ、イデア説を最初の内は取り入れていたが、その後批判を重ねるようになっていった。

アリストテレスが存在に関する様々な語り方が輻輳（ふくそう）する地点に実体を設定し、その意味として個体と普遍とを配置したことは、後世に様々な宿題を残すことにはなったが、十分に哲学の基礎を設定することだったと思う。彼は、二度と現れることのない哲学の天才だ。

また、トマス・アクィナスがアナロギア的に存在を語る場合、アリストテレス哲学とキリスト教神学を混合させることなく結合させる課題を背負っていた以上、存在を神と被造物について同じ意味において語ることを認めるわけにはいかなかった。アリストテレスの哲学は被造物のみを扱っていた。中世は神と被造物、無限と有限存在の双方を扱わざるを得なかった。アナロギアという折衷的な語り方がなされたのは当然のことである。概念では辿れない道を概念を使って説明すればそういうことになる。

哲学史的にアナロギアを説明する本ではないから詳しく見ることはできないが、簡単に述べておく。顔色もその人自身も食べ物もすべて「健康的」であると言えるが、なぜそれらが「健康的」かといえば、健康の現れ、健康の内属する実体、健康を生み出す原因を表していて、それらが「健康」に関係づけられ、中心たる「健康」において統一性を有しているがゆえに関連しあっている。これを秩序付け（ordinatio）と言う。中心に関連付けられてあるありかたがアナロギア（帰属のアナロギア）なのである。

魚：エラ＝哺乳類：肺というように機能における対応関係もアナロギア（比例性のアナロギア）と呼ばれるが、これは二次的なものでしかない。このアナロギアも中世では様々な理論があったが、帰属のアナロギアが中心だったのだ。

中世哲学を語る場合、人々はアナロギアに期待しすぎてしまう。アナロギアが分かれば、トマス・アクィナス哲学の基本枠組みが分かるのではないかと思ってしまう。アナロギアはA：B＝C：Dというような比例式で物事を考えるものと整理されることも多いが、それはアリストテレスの思考からもトマス・アクィナスの思考からも離れてしまう。そういう思考法もアナロギアの一種ではあるが、近世になって初めて大手をふって哲学に登場するようになったものだ。帰属類比こそ本来のものであり、それこそが中世までの思考における基本となっていたのだ。

秩序付け（ordinatio）と少し分かりにくい言葉で整理されるけれど、要するに、ある一つのものに集約され収束し、そしてそこにおいて多なるものが秩序をもって配置されるあり方が帰属類比ということであり、アナロギアの中心なのである。神学的な数多くの概念が神に秩序付けられてある様子を示すこと、様々な性質や特性が、それらが内属する実体に秩序付けられてあることを示すのが、アナロギアだったのだ。方向付けられ、関係付けられるある一つのものへの関係こそ、アナロギアが示すものだったのだ。存在へのアナロギアこそ本当の姿だ。

そういったアナロギア説と、ドゥンス・スコトゥスの一義性説が対立すると昔から哲学史では整理されてきたのだが、実のところ、存在の一義性が敵対していたのは、トマス・アクィナスの後に出てきたガンのヘンリクスのアナロギア説の方だった。

ヘンリクスのアナロギア説は、神と被造物との間に否定性という隔絶を措定してしまった。神と被造物の間にはいかなる類似性もないので、被造物の側面をすべて否定したところに神の認識が成立すると考えた。肯定的な道で接近するとすべての道筋は閉ざされており、否定的にしか、つまり「Aでない、Bでない、云々」というようにしか認識できないのである。これは否定性のアナロギア論なのだ。

ドゥンス・スコトゥスは、愛や意志は否定性に対して向けられないことを重視した。確かに、愛は「敵ではない人」のように否定で語られる者に向けられることは考えにくい。愛を重視するフランチェスコ会の伝統を存在論において定式化したのが一義性だったのだ。この意味で考えると、スコトゥスの一義性説とトマスのアナロギアは対立する位置関係にあるのではない。

〈私〉ということが、関係の結び目であることは、トマスのアナロギア説とも、スコトゥスの一義性説とも重なることなのである。

未来が存在していないとしても

「自分探し」は奇妙なのか。自分は今ここにいるわけだから、自分を探しに行くというのは世界の中に「本当の自分」「第二の自分」「第三の自分」が隠れていて、それを探しに行くというようなイメージが湧いてくる。しかし「自分探し」という言葉が、いつ頃からはやり始めて定着したのか。そこには、しっくりした「自分」が今ここで感じられないということがあったのだろう。生きにくさ、生きづらさというのがあって、自分がここにいるのが場違いな感じがするのだ。

特に、自信満々に自分の夢を語ったり、何があっても自分は正しいとばかり、人の責任を糾弾したり、明確な人生目標を持って迷いなく人生行路を突き進んでいる人を見ると、自分は何も自信を持って語れることも定かな心の思いもなく、存在の流れの中を漂流し続けるさまよえる人間でしかないという思いを抱く人には、この世は宇宙人だらけの空間ではないか、と思えるのだ。私が宇宙人なのか、周りが宇宙人だらけなのか、いや玉手箱を開けてしまった浦島太郎のように、私は開けてはいけない箱を開けた罰で孤立するような人生を歩むようになったのか。そんな気持ちが拭えない。

存在しているとは、蝶番が外れている状態のことだ。皆がドアを簡単に音もなく、スムーズに開けているのに、私はぎこちなく、音をギコギコたてながら、斜めに曲がったままのドアを開けて世界という部屋に入る。

私はずっと昏いトンネルの中を生きてきた。私はそういう人生に生まれついていると思っていた。ずっとトンネルの中を歩き続け、一人で死んでいくのだと思っていた。だから、パスカル（一六二三～六二）の『パンセ』の中に、「人は一人で死んでいく」という一節を見つけたときに、同じ考えを持っている人に出会った感じ、私だけではなかったという思いに包まれて、とてもホッとした記憶がある。

非存在や無とは何なのか。何ものでもないもの、述語を与えられないものがそういうものだ。そうではあるとしても、何も語れないものなのか。「非存在」と「無」とは同じものなのか。

過去はもはや存在せず、未来とは未だ存在していないものだ。そして現在こそが唯一存在するものだというのはよく語られる。未来とは非存在なのだろうか。非存在と無、考えていると頭がこんがらがってくる。

非存在（non ens）と無（nihil）、いずれも中世のキリスト教においては口に出すのが躊躇（ためら）われた言葉だ。『ヨハネ福音書』の冒頭には、非存在者をめぐる葛藤の歴史の入口が見出される。

中世において「無」は特殊な理解に結びついた。カタリ派という西洋中世の異端思想において、善悪二元論、つまり神以外に悪魔を立てようとする発想は、nihilという語の意味づけに基礎を置いていた。鍵になるのは、『ヨハネ福音書』の冒頭箇所である。

新共同訳では、「万物は言（ことば）によって成った。成ったもので、言によらず成ったものは何一つなかった。言の内に命があった。命は人間を照らす光であった」（ヨハネ1：3-4）と訳される。特に1：3の後半、sine ipso (=verbum) factum est nihil というラテン語は、〈言葉なしに創られたものはない〉＝〈すべてのものは言葉によって創られた〉という二重否定の意味である。

ところが、カタリ派は、二重否定としてではなく、「万物は言葉によって創られ、言葉によらずに無が創られた。言葉の内に創られたものだけが命であり、命は人間を照らす光であった」と解釈する。つまり、命と光は言葉によって創られたものにのみ宿り、言葉によらず、悪の原理によって創られたものが、死と闇である、という二元論が、聖書にも展開されていると理解する。このように解される「無」は、存在性の欠如ではなく、無の如き(quasi nihil)ものであり、存在性や完全性においては、低減しているとはいえ、積極的で実在的な存在者、つまり悪の原理である。「無」はここでは、悪の原理と結びつき、悪魔の存在がここで示されているということになったのである。

非存在や無は恐怖の対象だ。非存在や無は、いかなる属性も持たないがゆえに、危害を及ぼすこともない。「真空」は無ではない。延長という性質は有している。そして、真空状態では呼吸ができないから、危害をもたらす。しかし、非存在や無はどこにも存在していない。なぜ非存在や無は恐怖の対象なのか。非存在や無は表象不可能であるからなのか。

無(nihil)とゼロが同じものとして考えられる場合もある。中世では同じように考えられていた。しかし、数字のゼロは働きを有している。事物の欠如と、そしてさらに重要なのは位取り記数法を成立させる重要な記号である。100と10000が異なるのは、ゼロの数によってだ。ゼロは事物としては存在していないとしても、確かな機能を有している。

非存在や無は恐怖の対象であったから、そして悪魔信仰やキリスト教と対立する善悪二元論を呼び出すから正面から論じられることはなかった。論じてはならないテーマだったのだ。

十六世紀以降、状況は変わっていく。無を神学的、哲学的、自然科学的に論じるテキストが現れ始める。最初は、存在者の世界としての宇宙に対する道化のような役割を与えられて登場する。無についても豊かに記述できることを、存在者へのパロディーとして取り上げるのである。

十六世紀初頭フランスの数学者・哲学者であったシャルル・ド・ボヴェル（ラテン名カロルス・ボヴィルス、一四七五頃〜一五六六）は、一五一〇年に『無に関する小冊子（Libellus de nihilo）』を公刊する。この論考では、無は神とともに永遠かつ創造されざるものであって、神が世界を造った材料であり、創造された事物はすべて、神と無との中間にあると記されている。ここでは、無は神と並ぶ二大原理となっている。これは、神は無から世界を創造したという聖書の言葉を曲解したものだが、十三世紀初頭のパリ大学においても、無を第一質料と解することで、無の実在化を図る流れがあった。

この傾向は、さらに進展する。ジャン・パセラ（ラテン名ヨハネス・パセラティウス、一五三四～一六〇二）は、「無への賛歌」というパロディーの詩を一五六二年に発表している。この詩は様々に模倣されて当時流行したようだ。無は破壊も生成も欠いており、永遠不滅で、戦争においては神聖であり、平和においては正義であり、同盟関係においては安全であり、無を宿した者は幸いだ。現世の事物がすべて諸行無常ではかないものであるのに対し、信頼に値する確固不変なものであることかと賞賛されている。

非存在の輻輳するところ

未来は存在していない。非存在のものに現在の自分に対する影響力はない、と言い切ることはできる。だが、非存在は無力だなどとなぜ言えるのだろう。人間は言葉を用い、他者と交流ができることによって、非存在や未来を操作できるようになったはずだ。

未来は存在するものとしてよりも、すべてオブジェクトとしてある。自分とは実体ではない。オブジェクトである。私が考えるのではなく、考える中で私が未来の目指された地点に虚焦点として現れる。

この「オブジェクト」という概念は、現在では様々なところで用いられる。芸術の場面ではオブジェとフランス語読みされて登場する。コンピュータのプログラミング言語でもオブジェクトはよく用いられる。オブジェクト指向言語というように。プログラミング言語におけるオブジェクトは、コンテンツ（内容）、プロシージャー（手続）、アドレス（場所）を含むものとされる。操作して処理できるものがオブジェクトなのだ。

アニメに登場する様々なキャラクターも、精神の中で表象され、心的に操作が可能なオブジェクトである。それらは商品化され、売買の対象になったり、映画になったりして多くの観客を動員するものであり、人間との関わり方においては、物質的な事物に勝るとも劣らない結びつきを持っている。事物として存在しているものの方が、リアルで人間との関わりが深いということはない。つまり、非存在者もまたリアルに人間生活に深く影響を及ぼす。

現実や存在するものにばかり人は心を奪われ、存在しないものがいかに人間生活に刺さってくるのか忘れがちになる。そして、夢や希望は忘れてしまった方が生きやすい。愛なんか存在しないと考えた方が生きやすい。夢や希望や愛を持ち続けることは困難だから。成立するための条件を知り、それを準備し、育て、維持しなければならない。植物を育てようとすれば、水、太陽、温度、肥料などに心を配らなければならなくなる。枯らしてしまえば手入れの必要はなくなる。

強い夢は実現する。夢には自らを実現しようとする強い力が備わっている。夢の自己実現力というものだ。夢の方が現在の自分を引っ張っていってくれる。そんなことあるのかと訝(いぶか)しく思う人がいるだろう。いや、成功している人々が夢を熱く語り、夢そのものが人々を集め、実現に向かって進んでいくのを何度も見てきた。夢の力と自信や自己信頼とは深く結びついている。だが、そういう夢を探し求めるととても長い時間がかかる。「夢とは探し求めるものではないのですか?」。いや、答えはどこにあるものなのか。問いの向こうなのか、問いの手前なのか。

自分の夢を追いかけたら、家庭や家族を持つことは難しい。それは分かる。しかし、男の中にはそれを実現している者がいるではないか。女性の場合は、それが今の時代でも困難である。

夢とは条件付きの倫理のことだ。未来との関わり方において、契約や約束を他の人と結ぶことによって、道筋を確かにすることだ。お互いに守ることで、その関係が継続する。

西洋の倫理はキリスト教でも明確に見られるように、契約を重んじる。東洋では観世音菩薩に相応しいのは、契約ではなく、慈悲の方だ。慈悲を重んじるというのは、約束を守りたくても守れない者を救済しようとする心を準備しているということだ。約束を守った者だけを救うのか、約束を守りたくても守れない人も救おうとするのか、そこで道は分かれる。慈悲における無条件の愛は契約ということから少し離れている。慈悲においては、約束の実現を成立させるための条件も、結果も重んじられない。

慈悲という無条件の保護の世界から、契約の世界への脱出ということも考えられる。友達や恋人との世界は、お互いに約束を交わし、対等な立場でその実現に参加することだから。だからこそ、愛や友情の喜びは親からの離脱を引き起こすほどに強いものに設定されている。もちろん、親からの絆が弱ければ、弱々しい愛でも、早く逃れたくなるから、親から引き離すのには十分である。

心とは途方もない不思議な器だ。夢を育てる場所と言ってよいだろう。そこでは、心は可能性から現実性に向かって直線的に夢を育てるのではなく、曲折しながら、可能な道を探し出し、行きつ戻りつしながら夢を育てる。いうなれば、心は未来を育てる非存在者の抱卵器だ。

どうすれば未来は現実性の度合いを高めることができるのか。未来は実現していないから、リアリズムに生きる人にとっては「無」である。空っぽの虚無であり、因果性の中にリアリティの基礎を置く者は、来年のことを語ると笑う鬼のことを真似しているのか、未来という「無」を笑う。確かに、人間以外の動物において、未来は朧げな影としてしか与えられない。しかし、未来は過去以上に現在の人間を拘束する。この世界で最もリアルなものは、いまだ存在していない未来でなければならない。

夢は希望という体温がなければ冷たくなって死んでいってしまう。表象の器官としての心は、夢の孵卵器だ。夢には〈形〉がない。〈かたち〉と〈形〉は異なる。出来上がった〈形〉は、結果であり、もはや動くことはなく、死骸のごときものだ。

〈かたち〉とは、物質的形象としての〈形〉とは異なり、〈形〉の前にあって、〈形〉を引き起こすと自分自身は消えていって〈形〉の中に融解してしまう。ここで考えたくなるのが、〈かたち〉を具体化する方法ということだ。夢は自ら具体化する。もう少し正確に述べると、強い夢は自ら実現していく。表象可能性とは表象が心に現れる仕方なのだ。夢には形がない。だから形が形として現れる条件を与えてあげる必要がある。

心は〈かたち〉あるものに向かう

人間であれ、芸術作品であれ、外形においてほんのちょっとした違いでしかないとしても、与える感じがまったく異なってしまう場合も多い。書道の文字も絵画の描線もわずかな違いが決定的な違いになる。この外形を〈形〉と漢字を使って表記しよう。この〈形〉が生じる源泉を考えるために、〈かたち〉という読み方においても、内容においても近接しながら、異なる概念を対比させたいからだ。これは、フランスに在住し続けた画家、田淵安一の『イデアの結界――西欧的感性のかたち』（人文書院、一九九四年）に学んだ発想だ。〈形〉を見ると、そこには幾何学的な形状の類似性や感覚刺激の類似性によっては識別しにくい差異が見られる。書道における「筆の勢い・筆勢」の場合、〈形〉の上では微差しか見出されないのに、一方が生命力に溢れ、他方が死んだものに見えるのはどういうことなのだろう。〈形〉の背後にある〈かたち〉ということを考えると説明しやすいのだろう。〈かたち〉に含まれる力が、何ものにも遮（さえぎ）られずに発露し〈形〉として物象化するときに、躍動感が生まれるのだろう。〈形〉は、〈かたち〉から成立してきた、生成の跡を宿しているが故に、〈形〉の手前にあるものを表現しているが故に、様々なものを伝えられるのだ。

田淵安一は『イデアの結界』の中で、創作の様を「限のない白地の空から青い雲が湧く、内と外とが逆転像になって内側の感覚から〈かたち〉が生まれる。僕は、そんな〈かたち〉としてのイマージュを待っている」と記している。田淵の語る〈かたち〉とは、「形態」の意味ではない。彼によれば、〈かたち〉とは内心の視覚像であり、〈形〉が外に現れた形態のことである。

眼に見える〈形〉に対して、眼に見えない〈かたち〉。この〈かたち〉がなくては、桜も梅もなく、朝の紅、夕の紅もないであろうような存在因としての〈かたち〉。つまり、名辞以前にあって名辞を生むものでありながら、自身では〈形〉を持たぬ〈かたち〉。このような〈かたち〉は、心のどこかで生まれ、実体をもつものなのか、そうでないのか、こうした問いは古来、東西の哲人が問い続けたものであろう。

（田淵安一『イデアの結界』）

感覚における判断に対して「したい」という欲求によってではなく、「べし」によって応じることがある。正確に述べれば、感覚の次元において判断は成立していない。判断は知性の次元で成立するから。細かいことを述べているようだが、大事なことだ。

「べし」というのは、概念や判断の次元で成立している。「タバコを吸いたい」に対して「タバコを吸うべからず」という規範によって対抗することは、二階から目薬をさすような、難しいことをしているのだ。「したい」と「べし」を擦り合わせるという困難なことを、簡単にしていると思い込み、錯認してこそ、道徳は成り立つ。錯認であっても、繰り返し行っていけば、ハビトゥスとして定着し、いとも容易に実行できるようになる。動機づけという言葉でひとまとめにしてしまうと、プロセスの遠さが見えにくくなってしまう。「宿題をするべきなのに、宿題をしたい気持ちになれない」というのは、正しい心だとも言える。

しかしながら、このように見ると、「食べたい」と「食べるべからず」は対極的なのかどうか気になってくる。「食べたい」と「食べるべからず」は、倫理学的の同じ水準に立っている命題なのか。「べし」という規範が意識に食い込んでくる仕方は、かなり乱暴な事態なのだ。

A　乾いた食物は健康によい。

B　この食べ物は乾いている。

C　したがって、この食物は健康によい。

D　私は健康を欲する。

E　したがって、私はこの食物を食べる。

ABCの認識的三段論法と、CDEの実践的な三段論法が組み合わされて、Eという結論が必然的に導き出されるというのが、実践三段論法（実践的推論）と言われるものだ。三段論法だから必然的に落差なく結論が導き出されているように見える。しかしここに越すに越せない峠が存在している。我々は峠を越えていると思っているが、こっそりとトンネルを通って抜け道しているだけではないのか。私は、認識と実践の間には概念では越せない峠が存在していると思う。この概念によっては越せない峠は世界の至る所に存在している。だから何らかの仕方でトンネルを掘る必要がある。

実践的三段論法という「粗い」推論では、一つの推論に収まっていることで同じ水準に収まっていると思いがちだ。この倫理学的な落差を組み立て、組織化する理論は何なのだ。

「眠りたくない」と「眠るべし」とが対抗する人と対抗しない人がいる。「眠りたくない」うちは眠らないで、眠くなって寝る人がいる。そういう人は、眠気が訪れないと寝付けない。「眠りたくない」と思いながらも、「眠るべし」という規則によって、寝床につき、寝床につくと、眠気が訪れ、眠りに入る人がいる。

言葉が行為を引き起こすのは、言葉が「呪文」として機能する場合だ。「痛いの痛いの飛んでけー」という母親の言葉で子どもの痛みが本当になくなっていくように、言葉には「言霊」が宿っているというのは、非科学的な迷信なのではない。言霊のもつ力は、理論と実践を媒介する場面にも機能しているはずなのである。論理学や言語哲学で捉えようとしても、その知性の網の目をかわすしたたかさをもった力がそこにはあると思う。

第六章

セカイと〈私〉

セカイ系の学問としての哲学

セカイ系という言葉が盛んに使われた時期がある。二〇〇〇年から二〇〇九年はゼロ年代と呼ばれるが、ゼロ年代に隆盛したオタク文化において、亡霊のようにさ迷い歩いていた概念がセカイ系という言葉だった。

新海誠の『ほしのこえ』に出てくる「世界って言葉がある。私は中学の頃まで、世界っていうのは携帯の電波の届く場所なんだって漠然と思っていた」というセリフは、人類を滅ぼそうとする未知の地球外生命と命をかけて戦う彼女との間で、宇宙空間を超えて、長い時間差を超えて届く声と響き合っていた。

主人公（ぼく）とヒロイン（きみ）を中心とした私的な関係性の問題が、社会性・共同体性をもった中間的媒介項を経ることなく、世界の終焉や宇宙の危機といった抽象的普遍的な大問題に直結する作品群というのが、セカイ系の説明になるだろう。いろいろな定義が出されてきたが大同小異である。その筆頭に来るものが、一九九五年一〇月から放送が開始された『新世紀エヴァンゲリオン』（テレビ東京）だ。厳密な定義にこだわると面倒だが、新海誠の『ほしのこえ』『君の名は。』『天気の子』はいずれもセカイ系と銘打ってよいだろう。一連の『エヴァンゲリオン』において主人公は碇シンジだが、惣流・アスカ・ラングレーや綾波レイといったヒロインたちも、それらのキャラクターは、心に傷を抱え人との距離感の分からない少年、少女だった。

少年少女は、異性であれ同性であれ、恋愛を通して、自分とは何かを問い悩み、世界や社会に出会い、段階を追って進んでいく様々な成人儀礼（イニシエーション）を通して、世間や社会を学び、大人になっていき、その過程で自分とは何かという課題を克服して、自己同一性を獲得するとされる。

哲学者のように、死ぬまで「自分とは何か」を問う人間は、大人になれなかった人間、社会に出られなかった人間と見なされることになる。その際、「自分とは何か」への答えを解決して、答えを見出して、大人になったり自己同一性を獲得するわけではない。世間や社会の中に溶解していくことが答えなのだろう。答えはないということが答えなのだろう。「自己をならふとは自己を忘するゝなり」という道元の言葉がここでも効いてくる。概念を通して自己を分かろうとすることを忘れろと言う。答えが一般性を免れられない以上、一人一人の答えが違うような形でしか現れえない答えは、答えは存在しないという方が分かりやすい。実は、この事態の語り方こそ、多様性の現れるところであり、哲学者は様々に語ってきた。

話を戻すと、セカイ系に登場する少年少女は、社会や〈世間〉という中間項を介することなく、世界と出会う。このセケンなしに到達したように与えられえる領域がセカイなのである。〈セケン〉を介することなく生じた〈セカイ〉と、〈世間〉と社会を介して成立した〈世界〉の鬩(せめ)ぎあいがここにはある。

自分探しは世間や社会を介することで完成するという大人側系個体化論と、世間や社会を介することなく、抽象的な個体性の原理によって個体が成立するという哲学的個体化論とは対比的な位置関係にあるし、哲学的個体化論は基本的にセカイ系と親和性が高い。本の中に世界との付き合い方の真実が宿っていると考えがちな哲学は、本質的にセカイ系の学問なのである。

ラスボス倒しによる自分探し

最終戦（ハルマゲドン）においてラスボスを倒すことでゲームは大団円に向かう。諸悪の根源であるラスボスを倒すことで、正義の戦いが完結するのである。そのとき、大いなる苦しみこそ、ハルマゲドンであり、ラスボスが倒されるときに経験される苦痛なのである。

他の人を攻撃している人の声は大きい。敵を責めていることは正しいことのようだ。他の人の意見を責めて正して、それが正しい、というのはどうか。もちろん、偉い人の意見をそのまま受容するのも問題だが。言いなりになるのが卑屈で過った姿勢だからといって、責めれば正しいわけでもない。顔の見えない敵に対して、セカイ系は戦う。エヴァンゲリオンが典型なのだ。敵が何か分からないけれど戦うしかない。何のために戦っているのか分からないけれど。仮想敵の顔が思い浮かべられればよいが、それさえできない。憎しみなき攻撃、敵対心がなければ攻撃できないのに、だからその敵対心を根拠なく奮い起こさなければならない。主人公は「心のやさしい戦士」だ。

「世間」というものも、顔の見えない敵のように映じる。なぜ戦わなければいけないのか分からないのに戦う必要があるのだ。世間というものが敵として見えたりする。それには「象徴的父親」という役割があった(過去の家父長制の名残としての)。父親的な審級にたいする反発が青年期の課題だったが、〈父親的なもの〉は消滅してしまった。パワハラやモラハラを発揮して、昔の〈父親的なもの〉の幽霊を夢見るように、降霊術的に権力を発揮しようとする男どもは減りつつある。

　世間とは勝ち負けをつけるための土俵のような世界だ。自分が勝てる場所があると思う者は世間を探し、世間を作り上げる。制御可能な圏域こそ個体化された世間なのだ。

　しかし、そもそも世間とは戦うための場所だったのか。人生の基本的文法は戦うことや殺すことだったのか。

　敵の顔の見えない戦いにおいて体はぎこちなくしか動かない。エヴァンゲリオン初号機に乗ったシンジ君は、自分でその巨大なエヴァンゲリオンの身体を自由に動かすことはできない。ぎこちなくしか動かないのは手足だけではない。出てきた声はかすれているし、笑みも浮かべられず、視線も相手に向けられない。

　若い頃そういう経験をしないで成長できた者は幸いである。心もぎこちなくしか動かない。怒りと憎しみと、重い疲れと絶望感の中で、心はどこまでも沈んでいく。そういう体と心のぎこちなさを、エヴァンゲリオンはうまく表現していた。絶望した若者は、動かなくなって役に立たないエヴァンゲリオンを着たまま、脱ぎ捨てようにも脱ぎ捨てられず、荒野を歩き続けるのである。そして自殺することだけが自分に歯向かうことであり、痛みと苦しみを与えるだけのエヴァンゲリオンを脱ぎ捨てる儀式なのだと思いたくなってしまう。

アニメとは人間の表象の形式を表す場合がある。

エヴァンゲリオンに代表されるアニメ群が「セカイ系」と呼ばれたのは偶然ではない。セカイ系は「世間」への反抗と拒絶ということを含んでいたのだ。

世間はザラザラした大地としてあって、棘があって角張った〈私〉を粗い紙やすりのように擦り削り、個性のない真ん丸の小石のような人間に仕上げる。忖度、空気、同調圧力、儀式への参加、共同体の伝統や過去の創始者に対する共通の崇拝を押し付けられて、〈自分忘れ〉の技法を習得させられる。

セカイ系とは、反世間論なのだ。セカイ系という無媒介性は「世間批判」に重なってくる。この論点は、鴻上尚史（一九五八～、劇作家）の世間批判に学ぶところが大きい。

世間は様々な仕方で外圧として迫りくる。世間の同調圧力、空気を読め、忖度、場の雰囲気（笑いの強要）、共食（同じ釜の飯）、腹を割る、親密性の形成、頻繁な贈り物の交換、暗黙の了解、根回しなど。イジメも宴会のノリも、集団への一体感を無条件で腹に飲み込むことを求める点で同じ構造をしており、それは運動部の新入部員の加入儀礼に見られるイジメ儀式と重なってくる。そして、倫理も一端を担がされて、これまで世間の張り巡らす秘密警察のような機能を押し付けられてきた。

非道徳的、不倫という名称で押し付けられるサンクション（制裁装置）は、世間を形成維持するためのシステムなのだが、サンクションシステムを感受して生じる感情が「恥」である。恥とは内在化した世間作用なのである。

自分探しの倫理学

人生は戦うために存在しているのではない。戦い勝利することで、手柄を立て、承認を得ることができる。承認を得るとは、人気が出る、愛される、大事にされるということだ。それを人は毎日確認したくなる。それこそが自分の存在を確認することとされている。正義論の多くは、悪を倒す戦い系思想であり、戦いという悪を正当化する論理である。アメリカみたいだ。

マイケル・スロート（一九四一〜、現代アメリカの倫理学者）、ジョン・ロールズなどは、戦い系倫理学ではない。特にスロートは、ケアや共感ということを重視する倫理学者だ。古代ギリシア以来、倫理学は戦う人の後方支援の仕事をしてきたように思う。そして、戦い系倫理学や懲罰系倫理学を求める人が多い。受容性や共感を主張するスロートは戦い系倫理学を排除する。

悪を倒せば世界がよくなるという思いはどこに根拠を持っているのか。私が正しいという信念はどういう信念なのだろう。「戦う倫理学よ、さらば!」。裁きは戦いの変形だ。

運命とは、人生の行程が決まっているというように理解されているが、それは誰が出来事を記述する視点で考えられているのだろうか。人間にとって、運命があるのかないのか、決定する権限はない。にもかかわらず、それを客観的な出来事として語ってしまうのは、思い込んでしまうのはどういうことか。占い師を儲けさせるための心の仕組みが、生得的に人間の心に具わっているためだろうか。そうかもしれない。

運命があるかどうかを決定する権限は人間にはないし、それが哲学的問題になるのかどうかと尋ねられたら、「私には関心がない」と答えてしまう。

確かに運命というものがあるのならば、自分の運命を知ってみたいと思ってしまう。しかし、仮に運命があっても、それを予め知って、元気を出せる人間は多いはずがない。未来が未来として人間の心を駆り立てるのは、不確定なものとして人間に映じてくるからであって、未来に成功が待ち構えていようと、予め知っていれば、心は動かないままだ。

自分を探すとは何を探すことなのだろう。自分のしたいことをしなさい、自由に生きなさいとよく言われる。夢を追いかけるといっても、どう追いかけたらよいのか。

高部大門『ドリーム・ハラスメント』(イースト・プレス、二〇二〇年)という本がある。「夢を持て」と強制されることの苦しさを見事に活写した本だ。夢を持たなければ生きていけないのか。「青年よ、大志を抱け」とクラーク博士が言った。大志と野望は同じもので、「オレも本気を出せばすごいんだぞ!」と言いながら毎日だらだら過ごす若者を描いたマンガがあった。

「あなたも夢の実現に向けて確かな歩みを続けよう!」。夢を見られない人間は、毎日退屈ですることもなく、パチンコかギャンブルか酒に溺れる、あるいはジャンクフードを食べ続けるか、ビデオ見まくりかスマホ中毒になるしかない。夢を持てない者は社会的脱落者であるかのような風潮がある。夢を持ってこそ、夢に向かって努力し、成長することができるという構図である。

ロールズの『正義論』の中にも、善の構想を扱った章に、アリストテレス的原理というものについて書かれた箇所がある。『正義論』は善の配分について二つの原理を設定したことで有名である。(1)自由な平等の原理、(2の1)公正な機会均等の原理、(2の2)格差原理からなっている。

第二原理は二つからなっていて、初めから均等に配分するのではなく、平等で自由な競争の原理を設定する。競争である以上、勝ち負けや優劣が出てきて、給料や役職において差が出てくる。この差は認めてよいけれど、競争について初めから有利不利がないように、機会について平等に配分せよ、その結果として勝ち負けが出てくれば差をつけてよい。それは平等に反しないということになる。

その際、配分方法について、勝った者は成功に応じて、いくらでも高い給料をもらえればよい、格差が出ても仕方がない、ということにはならない。社長の給料が高くてもよいが、それは最も不利な立場にいる人々の状況を最大限に改善する場合にのみ、格差が是認されるということである。能力のある社長のもとでこそ会社の業績は上がるが、優秀な社長を確保するためにはそれに見合う給料を出すべきだし、そうした方がその会社の最低給料の人の配分を増やすことができるということだ。機械的な平等はかえって一人当たりの配分を減らしてしまうことが多いのである。

問題は、そのような正義の二原理を全員が理解し、それを受容し実行しないとシステムを悪用する人が出てくるだろうし、そもそも構成員の意識が高くないとそういった正義論は機能しない。トランプとバイデンの間でのアメリカ大統領選挙を見ても、ロールズの正義論が機能することへの道のりの遠さが如実に表れていた。

しかしながら、せこく自分の利益ばかり追求する人間だけでは、地球温暖化も環境汚染も人口過剰も何も改善せず、人類滅亡に突き進むしかない。その意味で、人々が正義の二原理に進んでいく道筋として考えられたのが、「善の構想」であり、人間が幼児から大人、そして正義論を引き受ける人間に向かって成長発展する過程を示そうとした。

人間相互が狼として争いあう自然状態から社会契約に入る必然性を示したのが、ホッブズ(一五八八〜一六七九、イングランドの哲学者)やロックの社会契約説だった。歴史的にそういう社会契約がなされたかどうかは問題ではない。フィクショナルであれ、そのように社会の構成をア・プリオリに説明できなければ、政治理論は機能しないのである。

人間が正義の二原理に向かって成長する原理として、ロールズが重視したのはアリストテレス的原理というものだった。ある技術や概念を理解し運用できると、人間はさらに難しいことに挑戦したくなり、より難しいことを達成できると喜びを感じるということである。スポーツでもより難しい技が考え出され、陸上競技では常に新記録を目指すものが現れ、新しい理論や未知の真理が求められ、未踏の大地や奥地や高山を征服しようとする者が現れるのは、この「アリストテレス的原理」が人の心に根付いているからだというのである。善の配分については、独占よりも共有を求めるように人間の道徳性は発達するという道筋を描いたのだった。簡単に言ってしまえば、夢を見られる者の方がより道徳的になる、ということである。

しかし夢とは「夢を持て」と強制されて生じるようなものなのか。大嫌いな食べ物を食べさせられて、「好きになりなさい、おいしいと思いなさい」と強制されることは無理を強いている。夢に対する奴隷となるとき、夢は夢なのか。

いや、カントは『判断力批判』で、適意・快適ということが感覚に課せられた強制ではないということに気づいていた。趣味判断は対象が感覚に与えられて、快不快が決まることではなく、知性と想像力の自由な働き（遊び）の結果として感覚において快が与えられることとしていた。

意味不明で単調な能の舞台が、経験と学習によって幽玄なる美の空間として快楽をもたらすようになることを考えれば、不思議なことではない。美の概念などない、というカントの卓見は称賛されるべきだ。しかしそれであるならば、善の概念もないといってよかったはずだ。

スピノザは、善と悪を〈理虚的存在〉として、それに対応する概念はないということを見抜いていた。それこそ真の哲学者である。善が虚構でありながら、にもかかわらずリアルであることをスピノザは明言している。ここに、自分探しの秘訣、幸福探しの奥義が隠れていると思う。

クリスマスであれ初詣であれ、神に祈りや願いを捧げる場合に、この自分の特別な願いは届くはずだと思い込めるのか、それとも無数に存在する人間の祈りの一つが聞き届けられるはずがないと思うのかで人間は分かれる。

自分は世界の中心にある、自分は特別だと思い込めるのは、親からたまたま余裕のある状況で育てられた人間の特権だろう、自分の願いなど空から降る雨のしずくの一粒程度と合理的に考えられる者（幸いあれ！）は無力さに打ちひしがれる。

他者を攻撃し、マウントをとりたがり、自分に甘く他人に厳しい人々は、自分の特権性を謳（うた）い上げ、自己の唯一性を大前提にして思考を始める。心の弱い正しい人は、自分など救われるはずもないが、と遠慮がちに生きる。近代はどちらの人間の味方をしてきたのだろう。

勝ち組の人々、勝ち組を目指す人々が前者であれば、後者は弱く正しい人々である。宗教は、ユダヤ教もキリスト教もイスラーム教も仏教も、弱く正しい人の味方をしてきた。強い人々は野良に放っておいてもよい。それでも生きていけるから。人類が衰退期に入った現在、合理主義は退いていくしかない。

人生に夢などない。「夢」というのは文化資本であって、生得的に文化資本を相続できた者だけが夢を見ることができる。これは決定的に重要なことだ。明るい夢を見て、バラ色の未来を描けることは、文化資本を親から生まれつき相続できた人々にのみ許された贅沢品なのである。

お前の好きなようにしなさい、そう言いながらためらい迷っていると、「お前はその権利を行使しなかった、不要なのだな、だったら剝奪するぞ」と言われてしまう。それは、自由意志を与えられながら行使することのない主体の落ち度であり怠慢だということになる。

自由を使いこなせない者は、自由を剝奪され、奴隷になってしまうのである。必然的奴隷化の原理としての自由というものは、自由の暴力性の顕現なのだ。三秒以内に自分の夢を見つけ報告しなさい、という「ミッション・インポッシブル」を託されることは、自由でも何でもない。

約束とフィグーラ

〈私〉というのは一つの物語だ。そこに、ストーリー、プロット、スクリプトといったものが関わってくる。それぞれの言葉は実に様々な使われ方をする。

ここでは、ストーリーは物語ではあるが、時間の中に出来事を配列しただけのものと考えよう。プロットは原因と結果の連鎖を置き入れたものとする。プロットは出来事が因果的に連鎖したものだ。スクリプトも「台本」ということだから、誰が何をしたかが個別的に並んでいるものと考えてみよう。スクリプトは、誰がしたのかが明示されている。

〈私〉がこの世界の中を生きていくとき、この世界に数多くの出来事が起きる。たとえば、デモに参加して、その行進が人数において膨れ上がり、ハンドスピーカーの扇動によって、過激になり、暴力的となり、警察や機動隊と小競り合いになるとき、参加者の一人として何が起こり、誰が指揮しているのか分からぬまま、周りの大声に従って暴徒として動かざるを得なくなったりする。そこにいる人々から集めた様々な報告の断片は、寄せ集めたとしても、一貫した物語を構成できることはない。

そういったすべてを集めたデータはまとめられれば、基礎資料にはなる。そして、それらを時間軸の中に流し込み、配列すればストーリーが出来上がる。しかし、それだけでは、誰が何をし、誰と誰が関わったのか、ある人の行為がどのような結果を引き起こしたのか分かりはしない。ある人の行為が、いかなる出来事を引き起こしたのか、その因果関係が明らかになると、そこにプロットが現れる。誰が何をしたのか、そして出来事の姿が同時に明確になってくる。

そういったプロットは、ひとつながりの短い時間、限られた場所と状況においては見出しやすい。

人生はあまりにも短い。なすべきことをなしていたら、毎日がてんやわんやである。一つのことに精力を絞り込まないと大きなことはできない。とはいえ、退屈をかこつ暇も無聊に苛まれるはずもないのだが、世間の流れから少しでも外れた生活をするようになると、暇で仕方がなくなる。

自分と仲直りすること、人生はいつも駆け足で進んでいくから、自分の人生に追いつくためには、自分も急ぎ足で自分に追いつこうとしなければならない。

自分探しの完成形態とは「自分忘れ」だ。自分を忘れるのである。フローとは、意識から逃げ去り、意識に対して身を隠している適応状態なのである。

アリストテレスによる自分探し

エネルゲイアとキネーシスの対比という枠組みがギリシア哲学にある。ギリシア哲学の人生観の核心が現れている図式だ。人生の姿をどのようにイメージするのかを考える場合、私はこの図式がきわめて重要だと思う。

人生を「仕事」のようなイメージで、与えられた課題を「なしとげる」ためのプロセスだと考えるのか、「仏道修行」と捉えるのか、「お祭り」のように捉えるのか。どのように捉えようと、人生の姿を具体的イメージで心に思うことができなければ、人生は生きづらいだろう。

エネルゲイア／キネーシスという対比は、ギリシア語以外では表現しにくい。ギリシア哲学、とりわけアリストテレス哲学に特有な対概念である。この両概念はなかなか日本語になってくれない。「エネルゲイア」は「現実活動態」という訳語があり、「キネーシス」は通常「運動」と訳される。

しかし、「現実活動態／運動」という言葉では、その概念対が表現しようとしている落差が現れてこない。両者の概念対が表現しようとしている対比を羅列すると、次のようになる。

エネルゲイア／キネーシス
完全／不完全
目的が内在している／目的が内在していない
自己目的／手段
速さと遅さがない／速さと遅さがある
時間の内にない／時間の内にある
常にあるもの／滅びていくもの
限りを有さずある時に終始するということがない／限りを有しある時に終始する
無時間的瞬間性／経過的
舞踊／歩行

キネーシスの特徴は、〈どこからどこへ〉というような構図にあり、出発地点と目的地が具わっている。出発地点から目的地への変化移動がキネーシスなのだ。その中間のプロセスは、なければない方がよい途中経過・手段である。

始点と終点が大事なのであって、その中間にあるキネーシスは、終点に到達した途端、もはや用のないモノとして捨て去られるものである。目的がそこに宿っていないプロセスであり、目的に至っていない以上、プロセスとしては未完成であり、したがって不完全なものである。どこか最初と違う場所か状態に赴（おもむ）かない限り、キネーシスは成立しない。どこにも行かないキネーシスはキネーシスではない。

ここでは、目的が宿っていないことと未完成であることと不完全であることが重なっていることに注意しておいた方がよい。目的・完成・完全・終極がギリシア語ではテロスという語によって共通に表現されるのだ。テロスがそういった意味をすべて持ち合わせているのは、ギリシア語だけかもしれない。だからこそ、アリストテレスのギリシア語を逐語的にラテン語に取り入れようとした西洋中世においても、そういった対比は移入されることはなかった。アリストテレスをあれほど高く評価し、自分の思考の基本的語彙に取り込んでいたトマス・アクィナスにおいてさえ、エネルゲイアとキネーシスとの対比はほとんど気づかれることなく、通り過ぎ去られている。

このエネルゲイアの特質を整理し、分かりやすく説明しているのが、藤沢令夫（一九二五〜二〇〇四）の『イデアと世界』だ。そこでの重要な一節に以下のところがある。

時間の内になく、〈どこからどこへ〉によって規定されないとすれば、当然「速く」「遅く」をそれについて言うのは無意味であり、したがってまた、「能率」や「効率」とも無縁であろう。そもそもここには、「能率」や「効率」の観念に内包される努力目標・到達目標としての「結果」や「所産」というものが、存在しないのである。そういう外在目的によって限定されないというのが、エネルゲイアをキネーシスから区別する根本的特質であった。

われわれは内に省みて、たしかにこのような特質によって定義されるほかはないような行為・経験が存在することを、確言することができるであろう。手近なところでは、例えば、詩と散文の区別と類比的に、舞踊が歩行と対照されて、「舞踊はたしかにひとつの行為体系には違いないが、しかし（歩行と違って）それらの行為自体のうちにそれ自身の窮極を有するものである。舞踊はどこにも行かない」（ヴァレリー「詩と抽象的思考』）と語られるとき、それはアリストテレスがエネルゲイアの特質として指摘するところと、不思議によく符合している。

（藤沢令夫『イデアと世界――哲学の基本問題』岩波書店、一九八〇年、表現を一部改めた）

ヴァレリーが用いた「歩行」と「舞踊」の対比は、キネーシスとエネルゲイアの対比を的確に表現していると思う。「舞踊」は目的を持たず、どこにも行くことがなく、「なぜ？」という問いに対して答えを出そうとはしない。「舞踊」はどこにも行かない。だから、舞踊する者に「なぜ」や「どこへ」を尋ねる者は何も分かっていない人なのである。

エネルゲイアは人間の実践や倫理、人生のあり方を考える上で決定的に重要な役割を有している。カイヨワの言う「遊び」、チクセントミハイが言う「フロー」と相通じるところがある。人生が舞踊のようなものであるとすると、「なぜ」や「どこへ」という問いかけは場違いな問い方になる。

アリストテレスは『形而上学』の第九巻第六章で、つぎのようにエネルゲイアとキネーシスを対比してまとめている。

目的がその内に内在しているようなものこそが、行為なのである。例えば、人は、見ていると同時に見てしまっているし、思慮しつつあると同時に思慮してしまっているし、思惟しつつあると同時に思惟してしまっているのである。しかし、学びつつあると同時に学んでしまっているとは言えないし、健康になりつつあると同時に健康になってしまっているとは言えない。

人は、善く生きつつあると同時に善く生きてしまっているし、また幸福であると同時に幸福になってしまっているのである。もしそうでないとしたら、ちょうど身体を痩せさせる場合と同じように、いつかは終止しなければならないであろう。しかし実際にはそうではなく、人は生きていると同時に、生きてしまっているのである。

かくて、以上の諸例のうち、一方のものはキネーシスと、他方のものはエネルゲイアと呼ばなければならない。なぜなら、キネーシスはすべて不完全であるから。すなわち、身体を痩せさせること、学ぶこと、歩くこと、建築すること、など。これらはキネーシスであり、不完全なものである。というのは、歩きつつあると同時に歩いてしまったとは言えないし、家を建てつつあると同時に家を建ててしまったとも言えないし、生じつつあると同時に生じてしまったとも言えないし、動きつつあると同時に動いてしまったとも言えないからである。（中略）けれど、人は同じものを見てしまっていると同時に、見つつあるのだし、また思惟しつつあると同時に、思惟してしまっているのである。こうして、このような性格のものを私はエネルゲイアと言うのであり、他方先のようなものをキネーシスと言うのである。

（アリストテレス『形而上学』第九巻第六章、山内志朗訳）

見ることもエネルゲイアであり、「見る」とはいつも「見ている状態にあることがすなわち見てしまっている」という完了の状態なのである。

歩行がキネーシスであるとすると、舞踊はエネルゲイアなのだ。舞踊は、盆踊りに典型的に見られるように、〈どこからどこへ〉という動きではない。しかし、エネルゲイアの典型例は、アリストテレスによると、「生きること」それ自体である。

藤沢令夫によると、人生それ自体がエネルゲイアであるというアリストテレスの言明は「われわれに衝撃すら与えるであろう」と述べている。たしかにこれは途方もない主張だと思う。人生はすべての瞬間のそれぞれにおいて完成しているというのだから。

私たちは、自分自身の生をキネーシスとして捉えがちである。人間が時間の内において、誕生の時点から死の時点まで動き、そして死とともに、人間は消滅すると考える。しかし、生命が〈どこからどこへ〉というカテゴリーを有するものでなければどうなるのか。

そして藤沢令夫は次のように叫ぶ。

> みずからの生がこのような仕方で表象されるならば、そこから帰結するのは、永遠性への希求の――自分の存在がいつまでも続くことへの希求の――たえざる挫折感でしかないであろう。死の恐怖も不可避となる。アリストテレスが人間の生そのものをキネーシスならぬエネルゲイアとしてとらえるとき、彼は、このような仕方で生を表象することを拒否しなければならないことを――少なくとも正当に拒否してしかるべき観点がありうることを――われわれに告げているように思われる。
>
> （藤沢令夫『イデアと世界』、表現を一部改めた）

私たちはどこから来てどこに行くのか、私たちはなぜ生きるのか。そのように問われ続けてきた。そして、哲学にそれを求め、哲学がそれを与えないことに不満を語る者も多い。

答えを出す哲学は偽物である。しかし、人生とは、〈どこからどこへ〉ということで規定されるものではない。人生はどこにも行かない。今ここに完成形がある。

一言で言えば、人生に目的がないということと目的があるということは等価なのである。もちろん、これを理解し、具体的行為に反映させることは幾多の訓練が必要だが、究極的な真理であることは確かである。仏教でも「即非の論理」などとして、繰り返し繰り返し語られてきた。人生論におけるそれ以外の真理がすべて紙くずになってしまうほど根本的である。すべての命題がそれに込められている。たぶん分からないままでいるというのが、正しい理解の仕方なのだ。

人生に目的はない。それは正しい。しかし、そのことによって心の安心立命を得られず、不安に陥るとしたら、救済のための神話がなければならない。救済のための神話は、不安によって現実の生活が混乱してしまわないために是非とも必要であり、リアルなものであり、事実以上に事実なのである。

『エヴァ』が扱っていたのは、人間の救済神話ということだった。古代において、グノーシス神話が流行した時代があったが、それはキリスト教とは異なる救済神話であり、それによって救済されると考えた人々が多数存在した。『エヴァ』で大事なのは、シンジの父である碇ゲンドウが目論む「人類補完計画」が人類絶滅計画であることだ。この壮大な悪意には徹底的専心と才能と労力が必要だ。そのような、悪魔でも持ちにくい憎悪を生み出す動機はどうすれば記述できるのか。

いじめられても、それを表現衝動に換える変換器を備えていれば、集団生活は送れる。しかしそれがない場合、どうすればよいのか。

自信をもって答えることはできない。無責任に分かっているようなふりをして書くことはできるのだが、人生相談の回答者のような書き方はしたくない。人生相談の正しい回答があるとしたら、それは「分からない」というのが正直なところだ。だが親切な答えではないから好まれたりはしない。ここでは私は独り言めいたことを書くしかできない。エラソーに上から目線で教えるような倫理学を私は激しく憎む。そういう語り方をできる者は人間の中には存在しないし、存在すべきでもない。教祖として救済の業に身を投じる場合は別だろうが。

〈私〉というのは、存在の風に揺れる一枚の葉のようなものだ。葉というものは風を感じ取り、センサーとして働き、見えないものを見える動きとして示す。それが微かな動きになることもあれば、激しく振動し、自分だけでなく、周りの葉をもちぎってしまう場合もある。一枚だけの葉のままでは強い風に耐えられないこともあるが、樹木の中で多くの葉とともにであれば、激しい風にも耐えられることがある。葉もまた葉の関係の中にある。

スクリプトを回収すること

ドラマの中で、たとえば子どもを岐阜から名古屋のスケート教室に通わせるために、引っ越しを計画している親子の物語があるとする。名古屋への引っ越しが無理だとなって、東京に仕事を見つけて、東京のスケートリンクへ子どもを通わせることになった場合、物語の進展の中で、子どものスケートの上達はやはり描かれるべきものだ。提起されたスクリプトが回収されなければ、気になるのが普通だ。

人生においても、スクリプトは回収された方がよい。しかし現実には、裁判官になるために司法試験に何度も挑戦し、合格できないまま、法律とはまったく別の道を歩むということもある。

物語やドラマにおいては、一人の登場人物が、スクリプトを担うことが多い。しかし、スクリプトを担うのは、特定の一人の人間なのだろうか。

仏教の寺社縁起においては、インドの王子や王女が悲劇の死を遂げて、日本で霊験に見(まみ)える人物として垂迹(すいじゃく)するということがよく記されている。あるスクリプトが、別の人物において回収されるというのは珍しいことではない。輪廻(りんね)転生や生まれ変わりということは、科学的に考えればいかに奇妙なことであるとしても、そのように考えなければ、人生がスクリプトの回収を基本的図式としているという人生の枠組みを構成できない。

和気藹々(あいあい)として裕福で幸福な家庭に生まれ、自分の願望と周りの願望の一致を実現すべく生きられる人間もいれば、暴力的だったり、家庭のメンバーが揃っていなかったり、病気に好かれたり、思い通りの人生が捏造(ねつぞう)された虚構にしか思えない人間もいる。人生が思い通りに進む人もいればそうでない人もいる。

さだまさしの歌った『無縁坂』という歌に、「運がいいとか悪いとか/人は時々口にするけど/そうゆうことって確かにあると/あなたをみててそう思う」という一節があった。

人生とはそうだ。私のすぐ上の兄もそうだった。ほとんど同じような風体で、同じような頭脳で、途中まで同じような進み方をしていたのに、東京に出てきて、世間に出てから、ずいぶん違う道を歩むこととなった。孤独死の現場となったゴミだらけの部屋で、私と兄はどこが違ったのだろうかと考えた。私はいつも背中を押してくれる何らかの力を感じ続けてきた。こぼれてもこぼれても拾ってくれる力があった。それはもしかすると、自分の内面の源泉から湧いてくるものだったのだろうか。それは概念ではなかった。風のようなものだった。

一人一人の人格（ペルソナ）は、スクリプトを担う行為者ないし主体ではない。スクリプトを構成する要素は何なのか。功績として新聞に載ったり、社史に記録されることだと思われがちだ。家事や育児といった、非個性的な作業はスクリプトを構成することなく、舞台背景や大道具でしかない。そのように考えられがちだ。個性がないからニュースにはなりにくい。人のウワサにもならない。手柄として人々の注目を浴びることが、スクリプトを構成すると見なされ、それを担う人に与えられる。

人生の骨組みを構成するようなスクリプトは、なかなか自分で書けるものではない。恵まれた環境と条件、そして本人の才能と人一倍の努力があったとしても、そんなに簡単に実現できるわけではない。条件が一つでも揃わなければその道筋は困難になるし、そして条件が全部揃っていても、目標は実現できるとは限らない。途中に邪魔する者はいくらでもある。一度しか試せない道のりは、一度の失敗で取り返しがつかなくなるし、そして一度でも失敗すると取り返しがつかないと怯えてしまうと、失敗する前に失敗への道のりを歩み始めてしまう。

空を飛べなくなって空を飛びたかったことを知る。夢を見ることができなくなって自分の夢が分かるのだ。五十にして天命を知る、と言われる。天命を知って、夢を見ることを忘れるのだ。夢見る者は天命を知らない。

天命とスクリプトの関係はどうなっているのか。天命でなくても、天職でもよい。天職は空から降ってくるのか。突然与えられるのか。自分で設定するものなのか。

それに答えられる人間は、人間としては紛い物なのだろうが、分かっているのは、自分で構成するものでも、待っていればどこからか与えられるものでもない、ということだ。

昔からいろんな哲学者や思想家が手を替え品を替え、そして諸宗教の達人が時代や地域や人間に合わせて、人生論について様々に豊かに語ってきた。人生論の真理にもはや新しいことは何一つ付け加えられることがないと思えるほど無限に多様な仕方で語られてきた。

新しい仕方で語る必要はないのに、人々は新しい語り方を求める。本当に新しい語り方は言い尽くされた古い物言いのうちにしかないと私は思う。日の下に新しいものはない。新しい生命は次々と現れてくるけれども。新しい経験が今という瞬間の上に積み重ねられていくのだが。人生を何度も経験したことのあるベテランであれば、人生のコツとして新しいものは何一つないことが分かるだろうが、一度しか生きることのできない人間は言い古された事柄が新しいことであるとは見えない。未来はすでに通り過ぎられたものとしてあるのかもしれない。

自分探しの秘訣は、「仏道をならふといふは、自己をならふなり。自己をならふといふは、自己をわするゝなり。自己をわするゝといふは、万法に証せらるゝなり。万法に証せらるゝといふは、自己の身心および他己の身心をして脱落せしむるなり」という道元の言葉で十分のような気がする。この言葉に自分探しの秘訣がすべて包摂されている気がする。

聖書の黄金律（「心を尽くし、精神を尽くし、思いを尽くして、あなたの神である主を愛しなさい」と「隣人を自分のように愛しなさい」）でもよいが、そういった基本的な格率にすべてのことは詰め込まれているように思う。これ以上書き記す必要はないのではないかと思う。人生を生きることにおいて、必要な原則や格率はすべて書き尽くされていて、もはやそれに付け加えるべき言葉を後から生まれた人間は持ってはいない。せいぜい繰り返していくことしかできない。

とはいえ、そういった一般的な原則を具体的な個々の場面に適用していくには、工夫が必要だ。そして、学習や伝達の道具として概念は便利だ。それらの言葉もまた、書物に書き記され、大事に保管されたままではなく、読まれ、声に出されて伝えられ、教えられ、受容され、内容が習熟され、そして現実に適用され、さらにそれが他の人に伝えられ、いつも何度も、そして永遠に伝達流通されていかなければならない。その意味では、同じことが反復されながらも、単なる反復としてではなく新たな反復として伝えられていかなければならない。一人一人の人間の存在と同じようだ。

個体は無数に存在し、存在し続けて、個体性の多様性は尽くされてきてしまっている。にもかかわらず、新しい個体、新しい人間が登場し続けている。ベンヤミン（一八九二〜一九四〇）が語った「新しき天使」のように。ベンヤミンは、毎瞬間次々と誕生し、そして、神の前で賛歌を歌い終えるとすぐに消え去っていく「新しい天使」というイメージをこの上なく美しく語った。

〈私〉は世界の中でかけがえのないものであり、そこに個体性の所以（ゆえん）があるといわれている。本当にそうなのか。〈私〉は世界にとって不可欠なのか。〈私〉がいなくても世界は何ら支障なく進んでいく。したがって〈私〉は世界にとって不可欠ではない。一人で生きていけばそうだ。

かけがえがないとはどういうことか。唯一であることだといっても、「唯一」の意味が不明確である以上説明になっていない。


私秘性が私秘性として他者に認識されるためには、それが私秘性として呈示される必要がある。それが「恥」という記号作用なのだ。裸であることは、幼児のときは中立無記的なものとしてある。それが男女差を持つものであって「裸であることは恥ずかしいことだ」という意識が与えられることで、私秘性に組み込まれる。隠すべきものと隠さなくてもよいものの領域を明確に区分するのが、思春期というものだ。

思春期になるまでは私秘性を親と共有していたわけだが、この共有性のことを、インティマシーとして整理できる。インティマシーとは私秘性の共有なのだ。この私秘性を親と共有することを止めて、独自の自分だけの領域を確保する必要がある。これが反抗期と言われるもので、親、特に異性の親についてはすべてが「気持ち悪い」ものとして現れる。「備給」という概念がある。フロイトの提出した概念だが、精神分析を学び始めるとき、つまずく概念の一つだ。ギリシア語ではカセクシス、充当という訳語もあった。心的エネルギーが特定の対象・人物・観念に結び付けられて、欲求の対象が構成されることだ。欲求の対象は、対象の全体である必要はない。異性の身体の一部への拘泥は病的なものと見なされるのが普通だが、備給の対象は部分対象であることが多い。少なくともそのように始まることが普通である。優しい一言によってその優しさに備給がなされても、黒髪に心惹かれて黒髪に備給が向けられても奇妙なことではない。

備給とは一方向的なものとして始まり、自分の中に私秘性の領域が身体面と精神面の両方で構成されて、それが相互に開示されて、ある程度コミュニケーションの仕方と共有形式が成立することで、恋愛が成立する。言い換えれば備給に関するコミュニケーション形式ということが、恋愛においては重要なのである。そして、それが性的な私秘性の確立の上でなされるときに性愛が生じる。

図式化すると、以下のような順番になる。

1. 私秘性の領域の確保
2. 備給のコミュニケーション（ボーイ・ミーツ・ガール）
3. インティマシーの共有形式

私秘性とは、自分の内部に、身体面や精神面において、「気持ち悪いところ」、隠されるべきところを根拠を持って確保されるときに成立する。あまりにも激しい、痛ましい事故や暴力は、緊急避難的に隠蔽され、私秘性を構成しない場合も多い。

「気持ち悪い」という言葉は、必ずしもATフィールドを構成することではない。実は「気持ち悪い」という言葉が別の段階への入口にもなるかもしれない。ATフィールドを脱ぎ捨てて、私秘性の領域を拡大し、インティマシーという私秘性のコミュニケーションの構造を確保することが他者性との出会いになる。「気持ち悪い」が、エヴァ（イヴ）からアダムへの知恵の実であって、それが人間の文化にとっての「光あれ」という言葉に対応する始原の言葉であると考えれば、「気持ち悪い」は、アスカとシンジが新しいエヴァと新しいアダムとして歩き始めることを意味していることになる。

『エヴァンゲリオン劇場版』では、アスカとシンジが、「気持ち悪い」ということに関係性を設定していた。しかし、「気持ち悪い」ということは、私秘性が交流し合う通路の徴（しるし）となるものだった。そして、『ヱヴァンゲリヲン新劇場版』および『シン・エヴァンゲリオン』においては、アスカは式波（しきなみ）・アスカ・ラングレーと名前も役割も変わり、新しく真希波（まきなみ）・マリ・イラストリアスという新しい登場人物が、世界とシンジを結びつける役割を担い、

「気持ち悪さ」が新しいフェーズに入り、日常的世界へ戻るシンジが描かれていた。

自分探しとは、自分ということが概念として与えられて、「なるほどこれが自分なのだ」と思えるような形式で与えられるものではない。「自分とは何か」「私とは何か」という問いに対して、「私とはXである」とか「自分はXである」と答えられるようなものとしてあるのではない。就活の面接で「あなたはどのような人ですか」と尋ねる場合も、その人の本質を、その人が何であるかを確認したくて尋ねているわけではない。その人が自分自身をどのように把握しているのかを尋ねているのだ。

サン=テグジュペリの『戦う操縦士』の中に、「自分とは何か？　それは敵の死だ。自分とは何か？　それは息子の救出だ」という言葉があった。人はその場その場で夢中になっていることに全力を尽くし、その行為そのものと化している。そういう時間をアリストテレスはエネルゲイアと表現していた。目的がその行為そのもののうちに実現している状態である。行為や出来事と自分が一体化しているのである。だから「自分」と「息子の救出」が重なり合うのである。

自分が一体化している出来事・行為とは、それを言葉で表現するのであれば、それはその出来事が終わってから、回顧的に表現されるのであって、過ぎ去ってから言語の中に収まり、「分かる」ものとなる。出来事に夢中になっているとき、何も分かりはしない。

人生とは巡礼（peregrinatio）に似ている。巡礼者の風景は中世の光景に充ち満ちていた。巡礼は単なる物見遊山ではなかった。悔悛の後に求められる償い（つぐない）の一環として巡礼行が必要だったのである。救済されるために必要な行為であり、それは「魂の身代金」であったのだ。罪が許されるために必要な行いであった。

目的とされる聖地は、治癒の奇蹟をもたらすものとも考えられていた。また巡礼者や貧民のためには、質素だが無料の宿泊施設である施療院や貧民宿があった。だから、巡礼者を構成したのは、改悛者が多くを占めるとはいえ、様々な病人を含んでいた。巡礼の道の路傍には、名もない多くの雑草が花を咲かせている。その一つの花に心惹かれ、そこにその花と共に根を生やすこともあろう。いや、私達一人一人、世界という大きな道から見れば、路傍（ろぼう）に咲く雑草の一輪なのだろう。

聖地に辿り着いて目的が実現し、行為が終わるということはない。単なる旅であれば目的地に辿り着いて行為は終了する。巡礼とは聖地に辿り着いて終わるものではない。はじまりの地点、日常世界に戻らなければならない。往還が基本形式であり、しかも往還は一度で終了するものではなく、反復されるべきものとしてある。永遠の往還こそ巡礼の基本形式なのである。それは永劫回帰、無意味な行為の反復として嘆かれるべきものではない。

　巡礼の終わりはいつも巡礼の始まりなのである。自分探しは巡礼に似ている。自分に辿り着いて終わるのではなく、単なる出発点なのである。自分探しは生きている間続くというよりも、死んでも続くのである。終わりと始まりを両方持つものこそ、無限なるものの特徴である。花が終わりと始まりとの両方を備えたものであるならば、それは小さくとも、終わりなき一つの世界なのだ。

　自分とはハビトゥスの上で咲く〈花〉なのである。

後書き

「本当の自分」を探しに出かけませんか?――それを教えてくれる講座があるという。自己啓発セミナーというものらしい。私のこの本も「自分探し」がタイトルに含まれている。同じ類(たぐ)いのものではないかと思う人もいるかもしれない。だが、そういった自己啓発セミナーとこの本は違っている。この本を読むと本当の自分が見つかります、ということを述べた本ではない。自分探しという問いの向こう側に進んでいくための本ではなく、手前に戻ってくるための本だ。どういうことか。

私は若い頃、人生論、幸福論、恋愛論は不要だと思っていた、いや正確には不要だと思い込もうとしていた。抒情性とかエモーショナルな世界は苦手で嫌いだった。嫌いだと思い込もうとしていた。そういう世界を見ると、沼に落ちることになると予感し、恐れていた。実はずいぶんそういう本を、本当は読みたくないのだが、と自分に言い訳をしながら何冊も買ったのだが、どれも最初の二、三頁で挫折した。自分のことながら自分は自分にとっても面倒くさい人間なのだ。

なるほど、「自分探し」ということは、デルポイのアポロン神殿の入口に書いてあった「汝自身を知れ」という格率と似ている。哲学とは自分自身を知ることだとも言われる。哲学を学ぶ人と自己啓発セミナーに参加する人は重なるのかもしれないが、私の考えでは、本当の自分が分からないままでも生きていけるという方がよいのではないかと感じる。

ずいぶんいい加減なことを書いた本だと思う人もいるだろう。厳密な枠組みを苦労しながら学んでこそ、立派な自分を作り上げられると思う人も多いだろう。精神主義というものだ。

人生論、幸福論が嫌いな人間が、いつの間にか倫理学とその基本概念を壇上で講じる人間になってしまった。嫌いだと思いながら好きだったのかもしれない。自分とは何か、分からないまま生きてきて、そしてこれからどれくらい生きられるか分からないが、自分とは何か分からないまま死んでしまうかもしれない。それでいいのかという人もいるだろう。私は分からないままでよいと思うし、その点で迷いはない。といって、「自分とは何か」は分からないものであると言いたいわけでもない。確かな仕方で、矛盾でも何でもなく、平明にそのように思う。私は哲学的な沼にはまることの危険を示したいのだ。「自分とは何か」、グルグルと同じ問いの周りをまわり続けることは、哲学的な沼でしかない。入り込めば浮き上がれない。

私は哲学を学びたいと思って、東北の山奥から東京に出てきた。本当に山奥から出てきた。出羽三山、より限定すれば月山の麓から東京に出てきたが、その故郷には私の心に刻まれた光景がある。

ふと思い出す風景だ。八ッ楯山という私の地元の誰にも注目されない山がある。私の生まれた村は月山の麓だったが、あまりにも近いためなのか、麓の山に隠されてなかなか見る機会がなかった。裏山の頂に登れば月山を見ることもできるのだが、普段はそういう機会は多くはなくて、そばにいながらも、ちょっと出かけて小高い山に登ると月山が見えて「ああ、月山だ！」と小さな喜びを感じていた。

地元から少し離れて山形市に下宿して高校に通うようになると、月山は遠くにいつも眺めることができるようになった。遠くに小さく見えた。蔵王、月山、葉山、面白山など多くの山に囲まれた山形盆地にいると月山はそれほど心象の中で大きなものではなくなっていった。だからなのか、生まれた村に近づくにつれて、月山が大きく見えるようになり、その後麓の山に隠されて、仕舞われ覆われていくような様子は不思議な郷愁を引き起こした。月山を隠す八ッ楯山は、月山の姿ととてもよく似ていて、本物の月山に出会ってもそれほど驚かなかったのは当然だったのかもしれない。仏像の前に御前立(おまえだて)が置かれていることがある。本尊を守るために、そっくりの像が造られて、本尊は大事に厨子(ずし)に納められ、秘仏として開帳されることなく、その代わりに人前に現れるのが御前立だ。八ッ楯山は月山の御前立のようだ。隠しながらも守り続け、代わりに代理として立ち続ける。ときには本尊を隠すようにも見えて代理的に表現(repraesentatio)しているのだ。剝き出しの〈私〉、本当の〈私〉を守る御前立のようなものを私は探してきた。

〈私〉には〈私〉が分からない。こんなことを書くとお前は正気か、と言われる。自分のことは自分が一番分かると世間では考えられているからだ。しかし、では自分の夢が分からない、自分が将来したいことが分からない、という誰もが抱く思いはどういうことなのか。〈私〉が〈私〉のことを分かっているとすれば、自分の夢も分かっていなければならない。自分の夢や希望や理想が分からなければ、なぜ〈私〉は〈私〉が分かるということが言えるのか。そういう思いを昔から持ってきた。東京なんか出てこなければよかった。山奥に住み続けていればよかったのだ。そういう思いが、今でも眠りに就こうと思うと沸々と心の底から沸き起こる。後悔という習慣は年寄りには似合わない。

〈私〉には〈私〉は分かりはしない、これが私が哲学においてこだわり続けている論点だ。精神分析が自己意識の根底に無意識を見出したとき、なぜ哲学は、デカルトの「我、思うゆえに我あり」というドグマや、カントの超越論的統覚やフッサールの間主観的意識といった基本概念を弾劾しなかったのだろうか。自己意識や主体といった概念はちっぽけで、大手を振って歩けるような存在者ではないのではないか、そんな風に思っていた。この〈私〉というのは、たった数十年間この世界の中で、一人前の顔をして、おぼろげな生を送るだけではないのか。お前は有名になりたいのか、裕福になりたのか。人々の役に立つという、憧れるべきでありながら、圧倒的多数が挫折せざるを得ない犠牲の道に入り込みたいのか。青年よ、大志を抱けという、倫理的催眠術にかかりたいのか。しかし、概念による〈私〉への登山道を夢見るな、ということが人生道の教えだったとしたらどうなるのか。

自己意識は自分自身への御前立となって、自己を見るための障害になっていないのか。反省モデルは、反省の作用や自己意識が自分の代理（vicarius mei）となって、自己（ego ipse）

を隠すことに無頓着である。反省は思考作用の透明性を前提としているが、対象を見ることが、「見る」ということを見ることを困難にしていることを考えても分かるように、対象に向かう直行的作用と、作用に向かう作用としての反省的作用は両立しがたい。認識と、認識への認識であるメタ認識は容易に共存できるわけではない。

〈私〉の分からなさということを、反省の非透明性として私は考える。自分のことは自分が一番よく分かっていると思いがちだ。しかし、自分では自分を見えないことがごく普通だ。将来何になりたいか、それはお前の自由だと言われて、自分が何になりたいか即座に答えられる者は、そのままでよい。哲学から遠い者だろう。分からないと思う者と、分かっているとしても、分かっていないのかもしれないと疑う者が、哲学に近い者たちだ。

私は再びここでサン＝テグジュペリの言葉を思い出す。

人は死ぬのではない。これまでずっと死を怖れていると思いこんできた。しかし実際に怖れているのは不測の事態、爆発だ。自分自身を怖れているのだ。死は？　いや、怖れていない。死に出くわすときには、もはや死は存在していないのだ。（中略）肉体が崩れ去ると、本当に大切なものがあらわれてくる。人間はさまざまな関係の結び目だ。

関係だけが人間にとって重要なのだ。

（サン＝テグジュペリ『戦う操縦士』鈴木雅生訳、光文社古典新訳文庫、二〇一八年、二一一頁）

死は、新たな自分自身に生成変化するために必要なものだった。本当の愛とは、激しい感動をともなうものというよりは、たえず新しい自分を作り出すことを可能にしてくれる、複雑に絡み合った絆としての愛なのだ。生と死とは、親の仇（かたき）のように憎しみ合う関係にあるのではなく、アッシジのフランチェスコが述べたように、姉妹のようなものとしてあると思う。

親のため、友達のため、恋人のため、夫のため、子供のために生きる。誰かの「ために」生きるというのは、その人を幸せにしたいということであり、それは愛することの基本だ。様々な人のために生き続けた後、最後は自分のために生きてよい。しかし、自分のために生きること、これは案外難しい。

みんなが幸せになること、そのために生きること、それこそみんなのためになることだ。だが、その思いが「生き上手」のコツになることは少ない。生計を立て、自分のために生きることができていなければならないから。誰かのために生きていくためには、まず自分のために生きることが先なのだ。

　過去を振り返るとき、自分は、この〈私〉のために多くの人々が心を向け、幸多かれと願をかけてくれたことを見つける。求心的に光を吸収する限りでは黒い物体が、自ら光を発するとき、輝く物体となる。〈私〉とは、様々な光が集まる関係の結び目であると同時に、様々なところに光を届ける結び目でもある。私はそう思う。

　しかし、で結局、山内少年の自分探しの旅「東京上京篇」はうまくいったのかどうか。失敗でも成功でもない、その人生の甘苦さ、それが真実なのだろう。自分にとって自分自身が面倒くさい人間は、野垂れ死にしようと哲学をするしかなかったのである。面倒くさい人間であることも贈り物だったのだから。


　この本は『新世紀エヴァンゲリオン』の問いかけから始まった。自分を憎むこと、自分を嫌うことは、自分と世界の破壊衝動の萌芽となる。『シン・エヴァンゲリオン』として見事に解決がなされ、エヴァンゲリオン症候群も葬り去られた。ともかくも、碇シンジ君の心の叫び、「逃げちゃ駄目だ、逃げちゃ駄目だ」と「だからみんな死んじゃえ」とは、情念としてはお隣の感情なのである。

だからこそ、「自己をならふといふは自己をわするゝなり」という道元の言葉は、真理の込められたアイロニーだ。そこにすべてが込められているのだ。それ以外には自分探しに必要な命題はないのだが、すべてを習ってみないとすべてが込められていたことに気づかないのである。一命題だけですべてが込められているから、残りは不要であるとも言える。

人生とはそういうものだ。我が家にいる青い鳥は、外に出かけて絶望した後でなければ青い鳥として見つからない。いや、そもそも青い鳥ではない。「汝自身を知れ」というデルポイ神殿の格言も、最後に辿り着くと、「知らなくてよいよ、概念を通しては」というアイロニーであれば、それは楽しい言葉だ。若い頃にはアイロニーは苦く感じられる。しかし、人間の網の目ということは、アイロニーに勝利する。年を取ると、人生を生きるための甘い言葉であると思うようになる。それが結論だ。

＊＊＊

編集者の高田秀樹さんから、本のお話をいただいてからずいぶん時間が経ってしまった。

何度も相談と督促をいただきながら、夏休みの宿題のように、焦りは高じるが筆はなかなか進まない。

新型コロナ禍の中、そして変異株の感染が広がり、人々の生活も不安におののきながら、続けられている。若いときも、中年になっても、時として「自分とは何なんだろう、自分は何のために生きているのだろう」という思いが湧いてきて、目の前に仕事に手が付かなくなることがある。ちょっと考えても、考えようがなくて、心は疲れ、いつのまにか考えなくなっている。仕事や生活を持ち、そのルーティンに流されているとき、〈自分探し〉ということは、風のように通り過ぎていき、そして何度も湧き起こりながら、答えが深まることなく、いつも通り過ぎていく。〈自分探し〉とは哲学的な沼なのである。概念で武装していると必ず溺れてしまう沼なのだ。

高田さんからいただいた宿題こそが、私にとっての〈自分探し〉となった。いつまでも提出できない課題こそ、〈自分探し〉ということなのだろう。私は自分探しに失敗したのである。そして失敗した自分探しこそ、正しい終わり方なのである。このアイロニーが人生なのである。うまくいった初恋が恋とは言えないように、夢を実現できた人生は、人生の名前に値しないのである（と嘯くことにしよう）。

高田秀樹さん、一緒に〈自分探し〉にお付き合いいただき、ありがとうございました。これで宿題を提出したことにさせていただきます。

自分探しの倫理学

二〇二一年七月二十日　初版第一刷発行

著者　山内志朗
発行者　工藤秀之
発行所　株式会社トランスビュー
〒一〇三―〇〇一三
東京都中央区日本橋人形町二―三〇―六
電話　〇三（三六六四）七三三四
URL http://www.transview.co.jp

装丁　漆原悠一（tento）
装画　ＳＥＩＩＣＨＩ
印刷・製本　モリモト印刷

ISBN978-4-7987-0181-3 C0010